Dans le noir

Alex grimpa l'escalier dans le noir, entra dans sa chambre et se laissa tomber sur le lit avec un long soupir. Il enfouit sa tête sous l'oreiller.

La sonnerie du téléphone retentit.

Il attendit que Simon décroche.

Le téléphone sonna de nouveau.

«Allez, Simon. Lève-toi et réponds.»

Mais une troisième sonnerie se fit entendre.

Alex se leva en grognant. Il se dirigea vers son bureau et chercha l'appareil dans l'obscurité.

— Salut, dit une voix féminine. Alex?

Il s'éclaircit la voix.

— Oui, c'est moi.

— Salut, Alex.

Il n'avait jamais entendu une voix aussi *sexy*.

— Toi et moi, nous avons rendez-vous.

Dans la même collection

Quel rendez-vous!

L'admirateur secret

Quel rendez-vous!

R.L. Stine

Traduit de l'anglais par
LOUISE BINETTE

Données de catalogage avant publication (Canada)

Stine, R.L.

Quel rendez-vous!

(Frissons) I
Traduction de: Blind Date.

ISBN 2-7625-3206-X

I. Titre. II. Collection

PZ23.S84Qu 1990 j813'.54 C90-096519-3

Dépôts légaux : 3e trimestre 1990
Bibliothèque nationale du Québec
Bibliothèque nationale du Canada

ISBN : 2-7625-3206-X Imprimé au Canada

LES ÉDITIONS HÉRITAGE INC.
300, Arran, Saint-Lambert, Québec J4R 1K5
(514) 875-0327

CHAPITRE 1

Lorsqu'il entendit l'os se casser, Alex crut un instant qu'il s'agissait du sien. Il ferma les yeux, serra les dents et attendit la douleur.

Il inspira profondément et enfouit son visage dans l'herbe mouillée. Malgré le battement qui résonnait dans ses oreilles, il entendait les meneuses de claque répéter.

— C'est un V! C'est un I! C'est un C!...

Il s'aperçut enfin que ce n'était pas lui qui avait été blessé. Quelqu'un d'autre gémissait de douleur. Et ce quelqu'un se trouvait sous lui.

Des mains puissantes agrippèrent Alex par ses protège-épaules et le remirent sur ses pieds. Puis, on le poussa dans le dos.

— C'était un coup vicieux, Alex.

On le poussa de nouveau. Étourdi, Alex perdit l'équilibre et s'écroula à côté du joueur qui hurlait de douleur. Ce dernier avait les yeux fermés et sa bouche formait un O qui exprimait bien sa souffrance. Il était couché sur le dos, une jambe repliée, tandis que l'os de son autre jambe faisait saillie.

«Ce n'est pas vrai, pensa Alex, frappant son casque protecteur de ses deux mains. Je n'ai pas cassé la jambe de Vincent Fortin. C'est impossible. C'est tout simplement impossible.»

Alex se releva. Encore une fois, quelqu'un le poussa.

— Ôte-toi de là, imbécile. Tu ne trouves pas que tu en as fait assez comme ça?

Le numéro 88, Charland, voulut frapper Alex, mais il rata la cible. Surpris, Alex vacilla.

— Vincent était déjà par terre, s'écria Charland, planté devant Alex. Tu n'avais aucune raison de lui sauter dessus!

— En voilà assez! hurla Stevens, l'entraîneur, se dressant entre Alex et Charland.

— C'était un accident, dit Alex. Je n'ai pas pu l'éviter.

Charland donna un coup de pied sur le sol, projetant de la terre sur l'uniforme d'Alex.

— Charland, ça suffit! s'écria l'entraîneur, repoussant son puissant joueur arrière de ses petites mains rouges.

Charland ignora Stevens.

— Tu passais en deuxième! cria-t-il à Alex. Maintenant, tu seras numéro un!

Il se retourna, l'air méprisant.

— Ce n'est pas vrai! protesta Alex, sa voix se brisant.

Comment aurait-il pu rivaliser avec Vincent Fortin? Ce dernier était le joueur étoile de la ligue. Il avait été choisi le meilleur arrière de toutes les écoles secondaires du pays. Il avait également mené les Panthères à une saison sans défaite et à un championnat provincial. Tous s'attendaient à ce qu'il en fasse autant cette année.

Alex était un bon joueur pour sa taille. Toutefois, le football ne comptait pas autant pour lui que pour ses coéquipiers. Ce n'était qu'un jeu, après tout. Il ne se serait probablement pas inscrit si son père n'avait pas insisté et si Donald n'avait pas déjà été l'une des vedettes de l'équipe.

Et maintenant, par sa faute, Vincent était étendu sur le sol, la jambe en morceaux, entouré de ses coéquipiers furieux qui secouaient la tête et lançaient leurs casques par terre. Et tous croyaient qu'Alex l'avait fait exprès afin d'être le joueur étoile de l'équipe.

Alex sentit quelqu'un lui donner une claque sur l'épaule. Il baissa vivement la tête, croyant qu'on s'apprêtait à l'attaquer de nouveau. Mais c'était son copain Julien Lemaire, le botteur de l'équipe.

— Ça n'a pas l'air d'être ta journée, dit Julien.

— C'était un accident, répéta Alex. Pourquoi ne me croient-ils pas?

— Tu as un visage malhonnête, plaisanta Julien.

Il sourit, ses petits yeux noirs pétillant au-dessus de son gros nez bulbeux. Il ressemblait à un toucan.

— Pourquoi a-t-il fallu que tu tombes sur Vincent? demanda Julien. Tu aurais pu choisir quelqu'un d'autre - une meneuse de claque, peut-être. Que dirais-tu de Linda Miller? Je me laisserais volontiers tomber sur elle!

Alex regarda Stevens courir vers le gymnase pour appeler l'ambulance.

— Je ne plaisante pas, Julien. Qu'est-ce que je vais faire?

Julien haussa les épaules.

— Je ne sais pas.

Alex secoua la tête et se dirigea vers le groupe de joueurs qui entouraient Vincent.

Mais O'Brien et Maltais, deux joueurs avec lesquels il s'était pourtant toujours bien entendu, lui bloquèrent le passage.

— Va-t'en, Hardy, dit O'Brien sur un ton menaçant.

— C'était un accident, insista Alex.

— C'est toi qui es un accident! cria Maltais.

— Va donc voir là-bas si j'y suis, Hardy, dit O'Brien tout en le poussant. On ne veut pas de toi ici.

— Charogne! ajouta Maltais.

Pendant les minutes qui suivirent, Alex se fit injurier, pousser et menacer de plus belle. Pourquoi ne voulait-on pas l'écouter?

— Qu'est-ce qui s'est passé? Qu'est-ce qui est arrivé à Vincent?

Sonia Nichols, la petite amie de Vincent, courait devant les autres meneuses de claque.

— Alex Hardy a cassé la jambe de Vincent, lui annonça O'Brien.

Sonia poussa un cri. Elle s'arrêta juste devant Alex. Elle avait le visage en feu et ses cheveux blonds, habituellement toujours bien coiffés, étaient tout emmêlés.

— Comment as-tu pu? Comment as-tu pu faire une chose pareille? s'écria-t-elle devant Alex.

— Je n'ai pas... commença ce dernier.

Il comprit, voyant la lueur sauvage dans les yeux de Sonia, que celle-ci ne l'écouterait pas.

— Et sa bourse? hurla Sonia. Sa carrière? Comment pourra-t-il poursuivre ses études? Comment as-tu *pu*?

Elle n'attendit pas la réponse d'Alex. Elle pivota et se dirigea vers Vincent.

— Oh mon Dieu! hurla-t-elle. Il est mort! Il est mort!

Alex suffoqua.

— Non, il n'est pas mort, déclara l'un des joueurs. Calme-toi, Sonia. Il s'est évanoui, c'est tout. Il est probablement en état de choc.

Alex inspira profondément, soulagé.

— Tu as gâché sa vie!

Alex constata que Sonia s'adressait encore à lui.

— Le football, c'était toute sa vie. Maintenant, il ne pourra plus jamais jouer!

— L'ambulance est en route, annonça Stevens, accourant sur le terrain, le sifflet autour de son cou se balançant d'un côté et de l'autre et son ventre rebondissant sous son sweat-shirt gris. Allez, les gars, au vestiaire. C'est terminé. Hardy, attends-moi dans mon bureau, d'accord?

Il jeta un regard méprisant vers Alex.

— Qu'est-ce qu'il a l'intention de faire, à ton avis? demanda Alex à Julien.

Celui-ci haussa les épaules.

— En tout cas, il ne te nommera certainement pas capitaine.

Alex se dirigea vers le bureau de l'entraîneur, sur le côté du gymnase. Le soleil tombait. Alex se rendit compte qu'il était mouillé de sueur. Il vit l'ambulance jaune rouler dans le stationnement de l'école. Il frissonna et entra dans le bureau de Stevens.

Alex se regarda dans le miroir et, du revers de la main, essuya un peu de terre sur sa joue. Il repoussa ses cheveux bruns ondulés et essaya tant bien que mal de les replacer.

Depuis qu'une fille l'avait arrêté dans un centre commercial pour lui dire qu'il était le sosie de Ralph Macchio, la vedette de *Karaté Kid*, Alex était plus soucieux de sa personne. Il ressemblait vraiment à Ralph Macchio, mais il était loin d'être aussi sûr de lui que l'acteur.

Le mur du fond était couvert de photos d'équipes, une pour chacune des vingt années durant lesquelles Stevens avait été l'entraîneur des Panthères. Alex s'approcha, sans vraiment regarder, toutefois. Soudain, un visage lui apparut clairement.

— Je te vois. Je sais que tu es là, dit Alex à haute voix.

Il fixait le visage de Donald. Donald, les bras autour de ses coéquipiers, lui souriait. Donald le champion, Donald l'étoile... portant le numéro 11.

Alex jeta un coup d'oeil sur son propre maillot et fronça les sourcils. Pourquoi avait-il choisi le numéro 11? Pourquoi avoir choisi le numéro que portait son frère? Parce qu'il tentait de faire tout ce que Donald avait fait avant lui? Parce qu'il voulait être ce que son frère avait été? Pourquoi donc portait-il un maillot de football? Simplement parce que Donald en avait porté un avant lui?

Alex se retourna et alla s'asseoir devant le bureau de Stevens.

Quelque dix minutes plus tard, l'entraîneur entra et fit un signe de tête en direction d'Alex, sans vraiment le regarder, toutefois. Le visage rouge, il se mit à arpenter la petite pièce.

— Comment va Vincent? demanda Alex.

Stevens s'arrêta.

— Pas très bien, dit-il en fronçant les sourcils. Le fait qu'il soit inconscient m'inquiète. Ce n'est peut-être qu'un état de choc passager, mais je n'aime pas ça du tout.

— C'était vraiment un accident... commença Alex.

Il entreprit de tout raconter, mais l'entraîneur leva la main.

— Bien sûr que c'était un accident, dit-il, regardant enfin Alex. Je ne peux pas croire que l'un de mes joueurs blesserait volontairement un de ses coéquipiers. Surtout lorsqu'il s'agit du jeune frère de Donald.

Encore Donald.

Stevens se remit à faire les cent pas. Ce n'était pas facile pour lui.

— Alex, commença-t-il, je sais que tu as connu ta part de tragédie au cours de la dernière année...

Alex était stupéfait. Personne ne lui avait jamais parlé de sa tragédie. Ni son père, ni son jeune frère Simon, ni Julien, ni aucun de ses copains. Aussi, d'entendre son entraîneur aborder le sujet le laissa bouche bée.

— Ça ne me facilite pas la tâche, continua Stevens. Il faut que tu quittes l'équipe.

— Mais c'était un accident, protesta Alex.

— Ça n'a aucune importance. Les autres joueurs croient que tu l'as fait exprès. Ils ne joueront plus avec toi. La plupart d'entre eux veulent ta peau.

— Mais si je reste et que je...

L'entraîneur posa ses deux poings sur le bureau et, se penchant en avant, regarda Alex droit dans les yeux.

— Si tu restes, ce ne sera pas bon pour le moral de l'équipe. Je suis désolé, Alex. Mais c'est comme ça. C'est terminé. Va vider ton casier.

Durant un moment, Alex fixa les photos sur le mur. Puis, il se leva, fit un signe de tête à Stevens et sortit.

Alex n'eut besoin que de quelques minutes pour vider son casier. Lorsqu'il sortit du gymnase, Julien l'attendait dans le stationnement.

— J'ai pensé que tu serais content que je te reconduise chez toi, dit Julien.

— Tu as une voiture? demanda Alex.

— Non, répondit Julien. Mais c'est l'intention qui compte, n'est-ce pas?

— Je vais marcher jusque chez toi, puis je prendrai l'autobus, dit Alex en ajustant son sac à dos.

— Et puis, que s'est-il passé? demanda Julien.

— Je ne fais plus partie de l'équipe, annonça Alex d'une voix neutre.

Ils marchèrent en silence durant quelques minutes.

— Comment te sens-tu? demanda Julien.

— Mon père ne sera pas content, répondit Alex.

— Je ne t'ai pas demandé ce que ton père, ta cousine Paulette ou ton oncle Alfred en pensaient!

Alex ne rit pas.

Ils ne remarquèrent pas la voiture avant qu'elle ne ralentisse tout près d'eux.

— Hé! Hardy!

Alex reconnut O'Brien derrière le volant. Il y avait plusieurs élèves dans l'automobile.

— Hé! Gare à toi, Hardy!

— Écoute, O'Brien, cria Alex, plus furieux qu'il ne l'aurait cru. Ce n'était qu'un accident. L'entraîneur dit...

— Je ne me promènerais pas seul dans le noir, si j'étais toi, dit une voix venant de l'arrière de la voiture. Il pourrait y avoir un autre accident. Tu saisis?

Tout à coup, Sonia Nichols sortit la tête de la voiture.

— Tu as gâché sa vie! Tu me le paieras!

— Sonia, calme-toi, lui cria O'Brien.

Elle semblait hors d'elle.

— Tu me le paieras, Alex!

Quelqu'un lança une canette de boisson gazeuse, qui atteignit le sac à dos d'Alex et se vida sur son manteau. Puis, l'automobile s'éloigna.

— Ils sont charmants, dit Julien.

Alex eut un haussement d'épaules.

— On se voit demain, dit-il d'un ton las. Merci d'avoir tenté de me remonter le moral.

Il se dirigea rapidement vers l'arrêt d'autobus de l'autre côté de la rue.

La maison était plongée dans l'obscurité. Seule une petite lampe était allumée dans le salon. Simon était étendu sur le canapé et regardait une reprise de *Lance et Compte*.

Alex entra dans la pièce et posa son sac à dos sur le fauteuil. Simon ne leva pas les yeux.

— Papa n'est pas rentré? demanda Alex.

— Euh-euh.

— Comme d'habitude, commenta Alex.

Son père n'était pas souvent à la maison depuis

quelque temps.

— Les criminels ne travaillent pas que de neuf à cinq, disait-il.

Pourtant, Alex savait bien que son père tuait le temps au poste de police, plaisantant avec ses collègues.

— As-tu mangé? demanda Alex.

— Euh-euh.

Une conversation avec Simon se résumait à poser beaucoup de questions et à entendre beaucoup de grognements en guise de réponse. Alex regarda son jeune frère et secoua la tête. Simon était aussi blond que lui était foncé. Il ressemblait à Sting avec sa mâchoire osseuse et sa coupe de cheveux punk. Toutefois, il était petit et avait le visage couvert de boutons, ce qui atténuait la ressemblance.

— Un bol de croustilles et une boisson gazeuse? C'est ce que tu appelles un souper? demanda Alex, constatant qu'il en était arrivé à jouer à la mère avec son frère.

— Euh-euh.

Alex essaya de se rappeler la dernière fois que sa mère avait donné de ses nouvelles. Il devait bien y avoir un mois. Elle était partie presque tout de suite après... le départ de Donald. Tout ça avait dû être trop difficile pour elle, pensa Alex. Il avait encore peine à croire que ses parents étaient divorcés. Parfois, il lui arrivait d'entendre la voix de sa mère dans une autre pièce ou de sentir son parfum.

Au début, elle avait téléphoné toutes les semaines, puis tous les mois. Simon et lui devaient passer un mois avec elle durant l'été, mais elle avait décroché un nouvel emploi et la visite avait été remise aux vacances de Noël.

— Je suis certaine que tu comprends, avait-elle dit à Alex au téléphone.

Mais, en fait, il ne comprenait pas vraiment.

— Je monte, dit Alex.

— Euh-euh, répondit Simon, la bouche pleine de croustilles.

Alex grimpa l'escalier dans le noir, entra dans sa chambre et se laissa tomber sur le lit avec un long soupir. Il enfouit sa tête sous l'oreiller.

La sonnerie du téléphone retentit.

Il attendit que Simon décroche.

Le téléphone sonna de nouveau.

Allez, Simon. Lève-toi et réponds.

Mais une troisième sonnerie se fit entendre.

Alex se leva en grognant. Il se dirigea vers son bureau et chercha l'appareil dans l'obscurité.

— Salut, dit une voix féminine. Alex?

Il s'éclaircit la voix.

— Oui, c'est moi.

— Salut, Alex.

Il n'avait jamais entendu une voix aussi *sexy*.

— Toi et moi, nous avons rendez-vous.

CHAPITRE 2

— C'est une plaisanterie?

C'est la seule chose qu'Alex trouva à dire.

— Je ne crois pas.

— Euh... un instant s'il vous plaît. Je vais allumer la lampe; je suis dans le noir.

— Oh, n'allume pas, Alex. Bavardons dans le noir.

Sa voix était mielleuse. Chaque mot semblait être une invitation.

— D'accord.

— Tu habites dans la montagne, continua-t-elle.

— Oui, comment le sais-tu?

— Je sais beaucoup de choses à ton sujet, Alex.

— Quel est ton nom? demanda-t-il.

— Devine.

Elle rit, d'un petit rire taquin.

— Euh... Nadia?

— Nadia! s'exclama-t-elle. C'est ça.

— Vraiment?

— Non.

Elle rit de nouveau.

— Tu sembles avoir le sens de l'humour, fit remarquer Alex.

— Eh bien...

Elle adopta le ton d'une fillette.

— Je ne fais pas que des taquineries. Tu pourras peut-être le constater.

— Est-ce que tu fréquentes la polyvalente? demanda-t-il.

— Pas encore. Ma famille vient tout juste d'emménager. Je commencerai la semaine prochaine. Est-ce que tu me feras visiter?

— Bien sûr. Qui t'a dit de m'appeler? Qui a organisé ce rendez-vous?

— Devine.

— Karine Angers?

— Ha ha! Non...

— Daphnée peut-être? Daphnée Miller?

— Non...

— Euh... Je ne vois vraiment pas qui ça peut être... Ce n'est pas Martine, n'est-ce pas?

— Tu marques un point.

— Mais je n'ai pas vu Martine depuis qu'elle est déménagée!

— Elle a insisté pour que je te téléphone. Elle m'a dit que tu étais un gars formidable.

— Eh bien... c'est vrai! Ha, ha!

— Elle m'a également dit que tu étais modeste.

Ils éclatèrent de rire tous les deux. Cependant, le rire d'Alex semblait plus nerveux que celui de la fille. Il pensa à Martine. Ils avaient été bons amis. Mais Martine était déménagée. Il n'avait pas eu de ses nouvelles depuis plusieurs mois. C'était vraiment gentil de sa part de lui présenter une de ses copines.

— Euh... samedi, ça irait? demanda-t-il. Si tu

veux sortir, bien entendu...

— Je pensais que tu ne me le demanderais jamais.

Une nouvelle fois, elle rit. Mais elle parut soudain pressée.

— Écoute, quelqu'un veut utiliser le téléphone. Je vais te donner mon nom et mon adresse.

Elle lui donna ses coordonnées si rapidement qu'Alex n'était pas certain d'avoir bien compris. Avait-elle dit Marilou? Il voulut lui demander de répéter, mais il n'en eut pas le temps.

— Viens me chercher à vingt heures. J'ai beaucoup apprécié ce petit moment dans l'obscurité avec toi. À bientôt!

Avant qu'il n'ait pu ajouter un mot, elle raccrocha.

Alex resta planté là un moment, le récepteur à la main. Il croyait rêver! Il aurait parié qu'elle appelait d'une cabine téléphonique. C'était étrange... En fait, toute cette histoire était étrange. La façon qu'elle avait de prononcer son nom, son rire...

Alex bondit hors de sa chambre et dévala l'escalier. Il devait raconter ça à quelqu'un. Même Simon serait étonné.

— Simon, c'est incroyable! Quelle fille!

Il s'arrêta dans l'embrasure de la porte du salon.

— Oh, bonsoir papa.

Son père, toujours en uniforme, lui fit un signe de tête.

— Une boisson gazeuse et des croustilles pour souper? Tu ne peux pas t'occuper de ton frère mieux que ça?

Ce fut sa façon de saluer Alex.

— Je viens tout juste de rentrer, dit Alex, sentant

son visage rougir.

Pourquoi n'arrivait-il pas à parler à son père sans se sentir mal à l'aise?

— Tu parlais au téléphone?

— Oui. Pourquoi es-tu toujours en uniforme?

— Je retourne travailler. Je voulais juste jeter un oeil sur vous deux. Tout va bien, Simon?

— Euh-euh.

Simon regardait maintenant une reprise de *Miami*.

— Papa, il faut que je te parle, commença Alex.

— Il y a des hamburgers dans le congélateur, dit le lieutenant Hardy, les yeux rivés sur l'écran de télévision. Vous n'avez qu'à les mettre dans le four à micro-ondes.

— J'ai eu de mauvaises nouvelles aujourd'hui, poursuivit Alex.

Il était bien décidé à tout raconter à son père au sujet de ce qui s'était passé au football. Il voulait en finir au plus vite avec cette histoire. Puisque son père semblait pressé de retourner au travail, peut-être ne lui ferait-il pas de scène.

— Je devrais peut-être m'asseoir, dit le lieutenant Hardy sèchement.

— Ouais, dit Alex.

— Apporte-moi une bière, s'il en reste.

Le lieutenant Hardy s'assit dans une chaise pliante tout près de la porte. Il poussa un gémissement. Son dos le faisait souffrir de nouveau. Conduire une voiture de police huit heures par jour ne l'aidait certainement pas.

Alex lui apporta une canette de bière. Il se tenait debout devant son père et se demandait par quel bout commencer. Y avait-il une façon d'annoncer la nouvelle à son père sans que celui-ci n'explose?

— Je ne fais plus partie des Panthères.

C'était une bonne façon de commencer.

Le lieutenant Hardy avala une gorgée de bière. Puis, il posa la canette sur son genou et leva lentement le visage vers Alex.

— Répète ça.

Alex le trouva soudain vieilli et fatigué. Comme il aurait aimé avoir une bonne nouvelle à lui apprendre.

— Stevens m'a demandé de quitter l'équipe. Il y a eu un accident.

— Quel genre d'accident?

Il prit une autre gorgée de bière.

— Je suis tombé sur Vincent Fortin. C'était vraiment un accident. Je lui ai cassé la jambe. Certains croient que je l'ai fait exprès. Tu comprends, pour jouer à sa position.

— Pourquoi as-tu fait ça?

— Je te l'ai dit, papa. C'était un accident.

— C'était un accident et Stevens t'a banni de l'équipe?

Son père le regardait d'un oeil soupçonneux, comme il l'aurait fait avec un voleur d'épicerie.

— Il a dit que c'était pour le moral de l'équipe. Trop de joueurs croient que je l'ai fait intentionnellement.

— Pour le moral de l'équipe? Est-ce que cet idiot a oublié tout ce que notre famille a fait pour son équipe? Donald était le meilleur joueur de toute l'histoire des Panthères. C'est Donald qui a fait connaître l'école et c'est lui qui a assuré un emploi à Stevens en menant son équipe au championnat!

Donald...

— Papa, ce n'est pas de Donald dont il est question!

C'est Alex qui éleva le ton en premier. Sa colère parut surprendre son père. Celui-ci prit une autre longue gorgée de bière pour mieux camoufler son étonnement.

— Le jeune frère de Donald doit faire partie des Panthères, dit-il enfin.

Il semblait plus amer que furieux. En fait, il avait l'air triste.

— Donald est parti, papa. Stevens se fiche pas mal de Donald. Tout ce qui l'intéresse, c'est que j'ai cassé la jambe de son arrière et...

— Pouvez-vous baisser le ton un peu? J'essaie d'écouter mon émission!

— Ferme-la, Simon! cria Alex, sentant qu'il perdait son sang-froid.

— Ne parle pas à ton frère sur ce ton. Donald ne criait jamais après toi comme ça.

Le lieutenant Hardy écrasa la canette vide dans sa main et la laissa tomber sur le sol.

— Cesse de parler de Donald!

— Et toi, cesse de crier, Alex. Qu'est-ce que tu veux que je te dise? Tu m'annonces que tu ne fais plus partie de l'équipe de football à cause d'un accident et je devrais te dire de ne pas t'en faire?

Il se leva et mit sa casquette.

— Tu devrais me parler à *moi*! T'inquiéter pour *moi*! Tu n'as aucune raison de parler de Donald! hurla Alex.

— Je dois partir, dit le lieutenant Hardy avec mépris.

— Bon, d'accord, tu veux parler de Donald?

La voix d'Alex tremblait de désespoir. Il savait qu'il aurait dû s'arrêter, mais il en était incapable.

— Très bien. Parlons de Donald. Dis-moi ce qui s'est passé l'année dernière. Dis-moi pourquoi Donald est parti. Aide-moi à remplir ce grand vide dans ma mémoire. Tu veux parler de Donald? Très bien, vas-y. Raconte-moi ce que je n'arrive pas à me rappeler.

Il saisit son père par les épaules.

— Raconte-moi ce que ma mémoire s'efforce d'oublier! Vas-y!

Le lieutenant Hardy se libéra de l'étreinte d'Alex. Il ne fit aucun effort pour réconforter son fils. Il tourna les talons.

— Arrête, Alex. Arrête ça tout de suite, dit-il calmement, faisant face à la porte.

Alex serra les poings. Il crut qu'il allait exploser.

— Retourne-toi, papa. Regarde-moi!

Son père haussa les épaules et se tourna vers Alex.

— Cesse de te torturer à propos de l'année dernière, dit-il d'une voix neutre. Il faut faire confiance à notre mémoire. Parfois, elle nous protège. N'essaie pas de te souvenir de ce qui s'est passé, Alex. Contente-toi de l'accepter.

Alex tenta de retenir ses larmes, mais il éclata en sanglots.

— Il me manque, avoua-t-il, Donald me manque... tellement.

Le lieutenant Hardy se retourna vivement.

— Je rentrerai tard, dit-il, la voix chevrotante.

Il ouvrit la porte.

— Désolé, dit-il. Je suis vraiment désolé.

Et il sortit dans la nuit.

— Pourquoi cherches-tu toujours à blesser papa? demanda Simon, toujours étendu sur le canapé.

Alex resta dans la porte, regardant les phares de la voiture de police. Les phares. Il ferma les yeux et les vit de nouveau. Quelque chose se réveilla dans sa mémoire. Il était incapable de se rappeler ce qui s'était passé l'année dernière. Les phares étaient sûrement l'une des pièces qui manquaient à son casse-tête. Il l'aurait parié. Mais impossible d'aller plus loin.

La voiture de police s'éloigna. Alex demeura à la fenêtre un long moment. Puis, il se dirigea lentement vers le salon. Simon n'avait pas bougé.

— Tu veux un hamburger? demanda Alex.

— Euh-euh, répondit Simon.

— C'est un oui ou un non?

— Euh-euh.

Alex était assis à son bureau, s'efforçant de terminer sa composition pour le cours de français.

Il jeta un coup d'oeil au réveil. Une heure trente-cinq. Son père n'était toujours pas rentré.

Le téléphone sonna et le fit sursauter.

Qui pouvait bien appeler à une heure pareille?

Probablement Julien. Son ami était l'une de ces rares personnes qui ne dorment que deux ou trois heures par nuit.

Alex décrocha après la première sonnerie.

— Allô? dit-il d'une voix enrouée.

— Attention à *tes* os.

C'était une étrange voix de femme. On aurait dit que la personne au bout du fil se pinçait le nez.

— Quoi? Qui parle? demanda Alex.

— Tes os cassés, dit la voix.

— Qui est-ce?

La voix était grinçante.

— Sonia? C'est toi?

Il revit le visage furieux de Sonia dans la voiture. L'appelait-elle pour l'ennuyer, pour l'effrayer?

— Sonia, si c'est toi, ce n'est pas drôle.

La voix féminine à l'autre bout du fil se changea en un rire aigu et forcé, comme ceux que l'on entend dans les émissions de télévision pour enfants.

— L'orteil est relié au pied, qui est relié à la cheville, qui est reliée à la jambe...

Clic.

Elle raccrocha.

Un frisson parcourut Alex. Il laissa tomber le récepteur. Son coeur battait la chamade.

«Ce n'est qu'une blague stupide», pensa-t-il.

Stupide, peut-être, mais terriblement angoissante.

CHAPITRE 3

— Tiens, voici les clés.

Le lieutenant Hardy tendit les clés à son fils sans grand enthousiasme.

Alex les saisit et les mit dans la poche de sa chemise.

— Une nouvelle chemise?

— Ouais.

Alex n'arrivait pas à croire que son père l'avait remarqué.

— Je l'ai achetée dans une boutique au centre commercial.

— Eh bien...

Son père l'examinait des pieds à la tête comme il l'aurait fait pour un suspect.

— Une nouvelle chemise, des jeans propres, des cheveux coiffés comme cette vedette de cinéma à qui tu crois ressembler... Je parie que tu as un rendez-vous ce soir.

Alex rougit. Il n'était pas habitué à tant d'attention de la part de son père.

— C'est un rendez-vous surprise, en fait, dit-il, mal à l'aise.

— C'est elle qui aura une mauvaise surprise en te

voyant! laissa échapper Simon.

Il tomba du canapé, riant comme un fou.

— Ferme-la, Simon, répondit Alex à son frère, qui riait toujours en se tapant les cuisses, comme si c'était la plaisanterie du siècle. Bonsoir, papa.

Il se dirigea vers la voiture, une Mustang bleue 1982, et s'assit derrière le volant. Il démarra et prit la direction du centre-ville.

C'était une soirée d'automne claire et fraîche. Une soirée parfaite pour se blottir contre quelqu'un...

— Marilou, dit-il à haute voix.

Il continua sa route jusqu'à la rue des Sycomores. C'était l'une des plus belles rues de la ville, avec ses sycomores et ses villas.

«Elle est peut-être à la fois riche et *sexy*», pensa Alex. Pour la centième fois, il essaya de l'imaginer. Elle devait avoir de longs cheveux noirs, de jolis yeux verts et une mignonne petite bouche en forme de coeur peinte d'un rouge à lèvres très foncé. Et, bien sûr, elle aurait une silhouette de rêve.

Alex avait parlé à Julien du coup de téléphone de Marilou. Julien lui avait fait raconter son histoire au moins six fois.

— Elle a l'air super! n'avait-il cessé de répéter.

— J'ai eu un autre appel, lui avait ensuite confié Alex.

Il lui avait rapporté les paroles menaçantes qu'avait prononcées la mystérieuse voix.

— C'était moi, avait déclaré Julien.

— Bien sûr que c'était toi, avait rétorqué Alex avec sarcasme.

— Vraiment, avait insisté Julien. Je t'ai fait peur, n'est-ce pas? Avoue!

— Laisse tomber, Julien, avait répondu Alex avec dégoût. As-tu eu des nouvelles de Vincent? Comment va-t-il?

— Les nouvelles ne sont pas très bonnes, avait fait remarquer Julien, enfin sérieux. Il paraît qu'il est toujours inconscient et que sa jambe est fracturée. Les médecins sont inquiets car ce n'est pas normal qu'il n'ait pas encore repris connaissance.

— C'est affreux, avait dit Alex.

Et il le pensait vraiment.

C'était maintenant samedi soir. Il était presque vingt heures et Alex était nerveux lorsqu'il tourna dans la rue des Sycomores. Il avait quelques copains qui habitaient dans cette rue. Il avait déjà visité quelques-unes de ces immenses maisons, avec court de tennis et piscine à l'arrière, où se trouvaient des fauteuils antiques sur lesquels il était interdit de s'asseoir.

La maison de Marilou était située sur le coin d'une rue. Il vérifia le numéro sur la petite plaque de bois près de la porte. Il freina brusquement en apercevant la maison.

Elle était dans un état lamentable!

La pelouse, envahie par les mauvaises herbes, n'avait pas été tondue depuis des mois. Une brouette pourrie était tombée sur le côté près de l'allée qui était toute craquée et, elle aussi, parsemée de mauvaises herbes.

«Les anciens propriétaires n'ont pas laissé la maison dans un très bon état», se dit Alex.

Il jeta un coup d'oeil à la maison, qui n'était guère mieux que le terrain. Deux colonnes blanches encadraient l'entrée; même de la rue, Alex pouvait voir que la peinture s'écaillait. Deux des fenêtres du sous-sol étaient cassées. On avait tenté de couvrir les trous avec des morceaux de papier et du ruban adhésif.

Alex gara la voiture. Tandis qu'il éteignait le moteur, il constata qu'il avait les mains froides et moites. Il regarda de nouveau la maison. Aucune lumière n'était allumée!

«Ils sont probablement à l'arrière de la maison», pensa Alex.

Mais n'auraient-ils pas dû laisser une lumière allumée dans l'entrée s'ils savaient qu'il venait?

Ils avaient peut-être des problèmes avec l'électricité.

Alex descendit de la voiture et se dirigea vers la maison. Il n'y avait pas d'automobile dans la cour. La grande porte du garage, à droite de la maison, était à moitié ouverte. C'était cependant trop sombre pour voir à l'intérieur.

Il marcha rapidement sur le petit sentier de pierres qui, comme tout le reste, était en piteux état. Il se tint un moment devant la porte, se rappelant la voix de Marilou et reprenant son souffle.

Alex appuya sur la sonnette.

Il n'entendit rien à l'intérieur.

Il sonna encore une fois.

Aucun son, aucune lumière.

Il était là, debout devant une maison abandonnée. Quelqu'un s'était-il payé sa tête?

Il se dirigea vers l'autre extrémité de la véranda et se pencha pour mieux voir à l'intérieur. Les stores étaient baissés.

Il appuya une troisième fois sur la sonnette et y laissa son doigt durant près de trente secondes.

C'était une perte de temps. Il n'y avait personne dans cette maison. Personne ne vivait ici.

Alex donna un coup de pied sur la porte, frustré.

— Le rendez-vous le plus excitant de ma vie... et c'était une blague, dit-il, en colère.

Il tourna les talons. La porte s'ouvrit alors lentement.

Deux visages l'interrogeaient du regard. Alex s'approcha. C'était un homme et une femme. Ils n'étaient pas vieux, mais ils se tenaient comme des personnes âgées. Les cheveux gris de la femme étaient noués en un chignon et un châle était posé sur ses épaules. Elle tenait une tasse et une soucoupe dans sa main. L'homme, lui, était chauve. Il portait des lunettes et un peignoir bleu par-dessus son pyjama rayé.

Alex resta bouche bée. L'homme et la femme demeurèrent silencieux aussi, l'air surpris et effrayé à la fois.

Enfin, Alex se ressaisit.

— Bonsoir, est-ce que Marilou est là? demanda-t-il.

Les yeux de l'homme s'écarquillèrent.

— Quoi?

— Est-ce que Marilou est là? Nous avons rendez-vous.

La femme poussa un cri et laissa tomber sa tasse de thé.

— *Non! Non! Non!* s'écria-t-elle, les yeux au ciel.

L'homme ne cria pas, mais il sembla sur le point

de s'évanouir. Il ferma les yeux.

— Marilou est morte, annonça-t-il à Alex, la voix rauque.

Alex n'était pas certain d'avoir bien entendu.

— Je vous demande pardon? dit-il.

— Marilou est morte!

L'homme semblait maintenant en colère.

— Qu'est-ce que vous nous voulez? Qu'est-ce que c'est que cette plaisanterie?

Alex était incapable de prononcer une parole. Qu'est-ce que c'était que cette plaisanterie, en effet?

Soudain, la femme cessa de gémir. Elle dévisagea Alex et saisit le bras de son mari.

— C'est lui! s'écria-t-elle. Regarde, c'est *lui*!

Ils semblaient le reconnaître tous les deux.

— Pourquoi es-tu revenu? hurla l'homme, essayant de se libérer de l'étreinte de la femme. Pourquoi es-tu venu nous torturer?

— *Non! Non! Non!*

La femme se remit à crier.

Alex tourna les talons et déguerpit.

Il jeta un coup d'oeil par-dessus son épaule. L'homme était sorti sur la véranda. Allait-il lui courir après?

Alex fouilla dans la poche de son pantalon et en retira les clés de la voiture. Il fallait qu'il parte d'ici. Il regarda de nouveau en direction de la maison. L'homme avait disparu. Allait-il appeler la police? Était-il allé chercher une arme ou quelque chose du genre?

Il monta dans la voiture et tendit l'oreille. Aucun bruit de sirène. Il regarda vers la maison. Rien de ce côté-là.

La maison... la maison...

Il y avait une vaste salle de jeu au sous-sol, avec une table de ping-pong, une table de billard et un juke-box. Du papier peint à motifs de ballons rouges et jaunes...

Comment savait-il ça?

Était-il vraiment déjà entré dans cette maison? Est-ce que ces gens horrifiés le connaissaient réellement?

Qui jouait dans cette salle de jeu? Pourquoi se souvenait-il du papier peint mais pas des visages?

Alex fut pris d'étourdissements. Ce trou dans sa mémoire était si grand. Cette maison était-elle l'un des morceaux du casse-tête? Qui était Marilou? Était-elle vraiment morte? Pourquoi ne se souvenait-il pas d'elle? L'avait-il déjà connue?

Et cette fille au téléphone? L'avait-elle envoyé ici pour lui jouer un mauvais tour?

Alex fit démarrer la voiture. Il roula sans but dans les rues de la ville. Soudain, une pensée lui traversa l'esprit. La fille qui lui avait téléphoné était peut-être une copine de Sonia? C'était peut-être un coup monté pour assouvir le désir de vengeance de Sonia...

«Non, se dit-il. Non.» Il s'était rendu lui-même à cette adresse. Il avait parcouru un trajet qui lui était familier et avait frappé à la porte d'une maison qui lui était également familière.

Marilou lui avait sûrement donné une autre adresse. Il se rappela soudain qu'il ne l'avait même pas notée.

Marilou. Était-ce bien le nom de celle qui lui

avait téléphoné? Alex n'en était plus certain. Ce n'était peut-être qu'un nom qui était surgi de sa mémoire.

Mais le rendez-vous? Marilou, ou quel que soit son nom, devait l'attendre! Il lui avait posé un lapin. Quel gâchis!

Alex décida de rentrer chez lui. Elle avait peut-être tenté de le joindre. Sinon, comment la retrouverait-il? Il n'avait pas son numéro de téléphone ni son adresse. Il n'était même pas certain d'avoir son nom! Ce ne serait pas facile.

Hé, un instant! Il n'aurait qu'à appeler Martine. Elle lui donnerait tous les renseignements dont il avait besoin.

Une fois devant chez lui, Alex gara la voiture et courut dans la maison. Toutes les lumières étaient allumées, mais il ne semblait y avoir personne.

— Simon! Hé, Simon!

La télévision était fermée. Cela signifiait que Simon n'était pas à la maison. Il n'y avait aucun message pour Alex sur le bloc-notes près du téléphone.

Donc, aucun moyen de savoir si elle avait appelé.

Alex décida de téléphoner à Martine. Avait-il son nouveau numéro? Non. Il lui faudrait demander au téléphoniste des renseignements.

— La famille Émond. Quelque part dans le nord de la ville. Non, je n'ai pas l'adresse. Non. Oui, c'est ça!

Il composa le numéro de Martine, mais personne ne répondit. Il raccrocha après la huitième sonnerie.

Dès qu'il eut posé le récepteur, le téléphone sonna.

Alex s'éclaircit la voix, puis décrocha.

— Allô?

— La cheville est reliée au pied, qui est relié à la jambe, à la jambe, à la jambe...

La voix perçante et nasillarde répéta sans cesse la même phrase, de plus en plus fort et sur un ton toujours plus menaçant, jusqu'à ce qu'Alex eut raccroché.

CHAPITRE 4

Alex fut réveillé en sursaut par la sonnerie du téléphone. Il secoua la tête. Malgré le soleil qui brillait à l'extérieur, la journée commençait mal. Le téléphone était devenu son ennemi.

— Simon! Réponds! hurla-t-il, la voix encore tout ensommeillée.

Mais le téléphone sonnait toujours.

Il repoussa donc les draps et alla répondre.

— Allô? Alex?

C'était la fille du rendez-vous!

— C'est moi. Salut!

— C'est Maude. Où étais-tu passé hier soir?

Maude. Elle s'appelait Maude. Comment avait-il pu comprendre Marilou?

— Je n'avais pas la bonne adresse, dit-il, se sentant ridicule. C'est une longue histoire. Je suis terriblement désolé.

— Je l'espère, dit-elle.

Puis elle rit.

— Je t'ai attendu jusqu'à vingt-deux heures.

Comment était-ce possible d'être si *sexy* si tôt le matin?

— J'ai essayé de t'appeler, ajouta-t-il, un peu plus

réveillé. C'est la première fois qu'une telle chose m'arrive. Vraiment. Je...

— J'ai pensé que tu avais eu des ennuis avec ta voiture ou quelque chose du genre, dit-elle.

— Je suis très heureux que tu m'aies téléphoné. J'espère que tu ne m'en veux pas. Je...

— *Bien sûr* que je t'en veux, répondit-elle. J'attendais ce rendez-vous avec impatience. Martine m'en a tellement dit à ton sujet...

Alex se sentit rougir. Il était soulagé qu'elle ne puisse pas le voir. Les compliments le mettaient mal à l'aise. Il savait qu'il était un garçon bien ordinaire.

— J'aimerais me faire pardonner, dit-il.

— Je ne demande pas mieux... murmura-t-elle.

— Tu peux me redonner ton adresse? En plein jour, je devrais pouvoir la noter sans me tromper.

Elle gloussa et lui donna son adresse.

— Je suis désolé, Maude. J'ai tout gâché, dit-il. Recommençons à zéro, d'accord?

— J'en serais ravie, dit-elle doucement. J'ai une idée. Je commence à la polyvalente demain matin. Tu pourrais m'y retrouver et me faire visiter.

— Génial! répondit-il avec un peu plus d'enthousiasme qu'il ne l'aurait voulu.

— J'espère que tu ne me trouves pas trop... entreprenante, dit-elle soudain en changeant le ton de sa voix.

— Non, non. J'aime bien, laissa-t-il échapper.

Elle rit, alors il rit aussi.

De nouveau, il se sentit rougir. Pourquoi avait-il l'impression d'être ridicule lorsqu'il parlait avec elle?

— Certains garçons sont rebutés par les filles qui font les premiers pas, ajouta-t-elle.

— Euh, moi, ça ne me rebute pas, dit-il.

Ils se mirent à rire. Puis, il y eut un silence. Alex ne trouvait rien à dire. Chose certaine, il était maintenant tout à fait réveillé.

— Je dois raccrocher, dit-elle soudain. Mais avant, dis-moi quelque chose à propos de toi.

— Eh bien...

Il s'éclaircit la voix.

— Certaines personnes trouvent que je ressemble à Ralph Macchio, tu sais, la vedette de cinéma.

Silence.

Il pouvait l'entendre respirer, mais elle ne dit rien.

— Euh... dis-moi quelque chose à propos de toi, demanda-t-il à son tour, heureux d'y avoir pensé.

— Eh bien...

C'était maintenant à elle de réfléchir.

— Je suis très attirée par les garçons qui ressemblent à Ralph Macchio, murmura-t-elle. À bientôt.

— Non, attends! cria-t-il presque. Maude, comment saurai-je que c'est toi, demain matin?

— Ne t'inquiète pas, répondit-elle. Moi, je le saurai.

Elle raccrocha.

Alex se laissa tomber sur le lit. Le téléphone sonna.

— Elle ne peut plus se passer de moi, dit Alex à haute voix, le sourire aux lèvres.

Il décrocha.

— *Re*bonjour!

— Attention à *tes* os. Es-tu prêt à mourir? Es-tu

prêt?

La voix nasillarde et grinçante résonnait dans son oreille. Puis, on raccrocha avant qu'Alex n'ait eu le temps de répliquer.

Était-ce Sonia Nichols? La voix était trop changée pour pouvoir le dire. Il posa le récepteur, la main tremblante.

Il revit le visage furieux de Sonia.

— Comment as-tu pu? lui avait-elle crié. Tu as gâché sa vie! Comment as-tu pu?

Puis, plus tard, à l'arrière de la voiture conduite par O'Brien, elle avait sorti la tête par la vitre baissée.

— Tu me le paieras, Alex! Tu me le paieras!

Il *fallait* que ce soit Sonia. Il le fallait.

Alex décrocha le téléphone. Il devait lui parler. Si au moins elle le laissait s'expliquer...

Il reposa le récepteur. Il décida d'attendre et de lui parler à l'école. Elle ne voudrait jamais l'écouter au téléphone. Une fois face à face avec lui, toutefois, elle le laisserait peut-être s'expliquer.

Alex s'habilla et descendit. Son père était assis à la table de la cuisine et lisait le journal.

— Bonjour.

— Bonjour, répondit le lieutenant Hardy sans lever les yeux.

— Où est Simon?

— Simon?

Son père le regarda par-dessus son journal.

— Tu ne t'attendais pas à voir Simon debout avant midi un dimanche?

Alex jeta un coup d'oeil à l'horloge. Il n'était pas encore dix heures.

— Non, tu as raison, dit-il doucement.

— Il y a du café, dit son père.

— Je me contenterai de céréales, répondit Alex en se dirigeant vers le garde-manger.

— Fortin est toujours dans le coma, annonça son père.

— Comment le sais-tu?

— C'est dans le journal. À la une, répondit le lieutenant Hardy d'une voix neutre.

— Quoi? Est-ce qu'on mentionne mon nom? Est-ce qu'on dit que c'est moi qui lui ai cassé la jambe?

Il y eut un long silence tandis que son père finissait de lire l'article.

— Non.

— Mon nom n'y est pas?

— C'est bien le moins que Stevens pouvait faire pour toi — ne pas mentionner ton nom. Donald n'était-il pas son meilleur joueur?

— Oui, je sais, répondit Alex en posant bruyamment son bol sur le comptoir.

«Je n'ai même pas encore avalé mon petit déjeuner et il me parle de Donald», pensa-t-il.

— Tu veux lire l'article? lui demanda son père en lui tendant le journal.

— Non, répondit Alex sur un ton furieux. J'étais là, tu te souviens?

— Ne me parle pas sur ce ton, dit son père. Tu es en colère contre toi-même, pas contre moi.

— Lis-moi le titre de l'article, dit Alex en se dirigeant vers le réfrigérateur.

— Je n'ai pas le temps, je dois partir, répondit le lieutenant Hardy.

Il poussa le journal à l'autre bout de la table en

direction d'Alex.

— Au moins, c'est au bas de la page, fit remarquer Alex avec un haussement d'épaules.

La manchette disait : *Un joueur d'arrière de la polyvalente sombre dans le coma après s'être cassé une jambe.* Puis, en plus petits caractères, on pouvait lire : *La saison des Panthères compromise avant même de commencer.*

Alex repoussa le journal.

— Tu sais, Donald aurait probablement... commença son père.

Il s'arrêta, prenant conscience de ce qu'il s'apprêtait à dire. Il toussota.

— Quoi? dit Alex.

«Allez, finis ta phrase. Voyons ce que mon formidable frère aurait fait», se dit-il.

— Rien, répondit son père. Je dois y aller. Ne laisse pas ton frère dormir toute la journée, d'accord?

— D'accord.

Alex termina son petit déjeuner. Puis, il saisit son blouson et sortit. Il était à mi-chemin entre la maison et l'arrêt d'autobus lorsqu'il se souvint qu'il n'avait pas réveillé Simon. Il revint sur ses pas. Son frère passait son temps à végéter et n'avait aucun souci dans la vie. Il ne semblait même pas s'en faire à propos du départ de Donald. Ou s'il s'en faisait, il le cachait très bien.

Alex entra dans la maison et s'arrêta au pied de l'escalier.

— Hé, Simon! Simon! Lève-toi, d'accord? cria-t-il.

Silence.

— Simon! Je sais que tu m'entends! Réveille-toi! C'est Noël! Viens voir ce que le père Noël t'a apporté!

— Euh-euh.

Alex sortit un mouchoir de la poche de son jean et s'épongea le front. Le terrain de basket-ball situé derrière l'école était sûrement l'endroit le plus chaud du monde. Sans qu'on sache pourquoi, le soleil y tapait toujours très fort, alors qu'il faisait frais partout ailleurs.

Mais Alex s'en moquait. Ça faisait du bien de bouger et de transpirer. C'était une journée claire et magnifique, l'une de ces journées d'été qui surgissent tout à coup au beau milieu de l'automne, pour mieux faire oublier que l'hiver approche à grands pas.

Alex et Julien jouaient avec acharnement et ne parlaient pas beaucoup. On n'entendait que le bruit du ballon rebondissant sur l'asphalte et les cris des élèves du premier cycle qui disputaient un match sur le terrain voisin.

— Attention! hurla Julien en faisant une feinte vers la droite et en bondissant vers la gauche.

Il se dirigeait vers le panier lorsqu'il s'arrêta brusquement.

— Hé, Hardy! J'avais oublié! Ton rendez-vous!

Il laissa tomber le ballon et se donna une tape sur le front.

— Comment était-ce? De quoi a-t-elle l'air? Comment ai-je pu oublier? Comment *as-tu* pu oublier de me raconter? Allez, vieux, dis-moi tout.

Alex savait que ce moment viendrait. Il était

surpris, cependant, que Julien ait mis tant de temps à lui en parler. Il courut vers le ballon, s'en empara et se mit à dribbler autour de Julien.

— Allez, Hardy. Comment tu t'en es sorti?

— Le rendez-vous a été... remis, dit Alex.

Il essaya de se donner un air mystérieux. Ça n'allait pas être facile de se tirer de là. Mais il n'avait aucune envie de raconter toute son histoire à Julien.

Alex était convaincu que Julien savait quelque chose à propos de... la tragédie de l'année précédente. En tout cas, Julien en savait certainement beaucoup plus qu'Alex, puisque celui-ci ne se souvenait de rien.

Cependant, les deux amis n'en avaient jamais parlé. Julien savait que, le temps venu, Alex retrouverait la mémoire.

— Remis? Tu t'es défilé!

— Mais non, protesta Alex, continuant de dribbler en formant des cercles de plus en plus grands autour de Julien. C'est remis, c'est tout.

— Trouves-en une meilleure!

— Je dois la rencontrer demain matin pour lui faire visiter l'école avant les cours, continua Alex.

— Et tu n'es pas sorti avec elle hier soir?

— On ne s'est pas rejoints, c'est tout, dit Alex.

Ce qui était parfaitement vrai.

— C'est tout?

Julien n'arrivait pas à le croire.

— Alors, elle commence à la polyvalente demain?

— Ouais, répondit Alex. Nous avons bavardé longtemps ce matin.

— Tu lui as parlé de moi?

— Bien sûr que non. Pourquoi l'aurais-je fait?

— Je n'arrive pas à croire que tu avais rendez-vous avec cette fille et que tu...

Il fut interrompu par une voix de garçon à l'autre bout du terrain.

— Le voilà!

Alex et Julien se retournèrent et virent quatre garçons courir vers eux. Quand ils furent assez près, Alex reconnut le sweat-shirt jaune et noir des Panthères. Le premier du groupe avait un ballon de football sous le bras.

— Hé, Barrette! cria Julien. O'Brien! Je croyais que vous étiez chez vous en train de lire le journal du dimanche matin. Qu'est-ce qui s'est passé? Vous n'avez pas réussi à comprendre les bandes dessinées?

Alex reconnut aussi Maltais et Anderson. Ils faisaient tous partie de l'équipe de football. Alex sentit son estomac se nouer et son coeur battre à tout rompre. Les quatre joueurs couraient vers lui, l'air déterminé.

CHAPITRE 5

— On t'avait prévenu de te tenir loin d'ici, cria Maltais à Alex.

Maltais prit le ballon de football et le lança avec force contre la poitrine d'Alex. Celui-ci poussa un cri, plus de surprise que de douleur.

— On ne dérange personne, dit Alex en reculant d'un pas.

— Tu *me* déranges, rétorqua Maltais.

Ses cheveux roux et ses taches de rousseur lui donnaient généralement un air de petit garçon. Toutefois, il souriait maintenant avec mépris, dévoilant toutes ses dents, le regard perçant et menaçant, montrant les poings que formaient ses grosses mains tachetées. Il n'avait plus rien d'un petit garçon.

— Tu me déranges aussi, dit Barrette à son tour, essayant de se faire aussi impressionnant que Maltais.

— Ne fais pas le singe, lui dit Julien.

Barrette leva le poing.

— Reste en dehors de ça, Lemaire.

Il cracha sur le sol.

— On n'a rien contre toi. Sauf en ce qui concerne le choix de tes amis.

Alex regarda autour de lui, cherchant la meilleure

direction pour prendre la fuite. Il décida que le mieux était de courir. De toute évidence, ses anciens coéquipiers n'étaient pas venus lui faire la conversation. Mais il constata soudain qu'il était pris au piège, entouré de clôtures. La seule sortie était celle qui se trouvait à l'autre bout des deux terrains de basket. Il n'y arriverait jamais.

Alex leva les yeux vers le soleil qui brillait dans un ciel sans nuage et sentit tout à coup une énergie étrange l'envahir. Il prit alors une décision. Il n'allait pas s'enfuir. Il savait qu'il avait raison. Il savait exactement ce qu'il allait faire.

Il se tiendrait debout et se battrait.

Il baissa les yeux, encore ébloui par le soleil.

Maltais s'avança le premier. Alex lui lança le ballon de basket à la tête. Maltais se baissa vivement, mais Alex lui donna un coup de poing au visage. La mâchoire de Maltais craqua lorsque le poing puissant d'Alex la heurta.

— Des poings d'acier! s'écria Alex.

Il ne reconnaissait même pas sa propre voix.

Maltais eut le souffle coupé et s'étouffa. Il tituba jusqu'à la clôture. Alex le rejoignit, le tourna vers lui et lui assena un second coup de poing, mais sur l'autre moitié du visage.

Maltais tomba sur l'asphalte, suffocant.

— Hé, il a du punch, dit Barrette à O'Brien.

— C'est de la chance, cria O'Brien en s'élançant vers Alex.

Celui-ci fit un saut de côté, se retourna et assena un puissant coup de karaté à la nuque de son adversaire. O'Brien s'effondra sur le sol, vaincu.

— Quelle force! ne cessait de marmonner

O'Brien.

— Tu n'as encore rien vu! cria Alex.

Il courut vers O'Brien, le souleva de terre et le tint au-dessus de sa tête comme un vulgaire sac de farine. De nouveau, il sentit l'énergie monter en lui. O'Brien lui semblait aussi léger qu'une plume.

Dans un grand cri de triomphe, Alex projeta O'Brien sur Barrette et Anderson, qui chargeaient en sa direction. Ceux-ci poussèrent un cri de douleur et de surprise lorsque le corps pesant d'O'Brien leur tomba dessus, les faisant crouler au sol.

— Beau lancer! cria Julien, qui se tenait à l'écart.

— Tu as gagné! Tu as gagné! Je t'en prie, arrête! gémissaient Barrette et Anderson tour à tour.

— Assez! Assez! cria une voix féminine à l'autre bout des courts de tennis.

En poussant O'Brien, Barrette et Anderson réussirent tant bien que mal à se relever. O'Brien, étourdi, essaya de s'asseoir. Quant à Maltais, il était toujours appuyé contre la clôture, suffocant de douleur.

Tous se retournèrent pour regarder la fille qui courait vers eux.

— Arrêtez! Arrêtez tout de suite! hurlait-elle.

C'était Sonia Nichols, la petite amie de Vincent.

Elle se dirigea vers Alex et lui posa une main sur l'épaule. Durant quelques secondes, elle tenta de reprendre son souffle.

— Qu'est-ce qui se passe? Qu'est-ce que vous faites? demanda-t-elle.

Elle n'attendit pas la réponse.

— Vincent va bien. Il vient tout juste de me téléphoner. Il s'en tirera.

— Ce sont de bonnes nouvelles! dit Alex, heureux.

— Il m'a demandé d'expliquer à tout le monde que c'était un accident, dit Sonia, sa main toujours posée sur l'épaule d'Alex. Ce n'était pas la faute d'Alex. Vincent veut que tous le sachent.

Il y eut un moment de silence durant lequel tous les garçons, surpris, répétaient les paroles de Sonia dans leur tête.

— Je crois que je te dois des excuses, déclara Sonia, baissant les yeux. En fait, nous te devons tous des excuses.

Elle posa un timide baiser sur la joue d'Alex.

— Oui, elle a raison, dit O'Brien en se remettant sur pied.

Il marcha jusqu'à Alex et lui serra la main.

— Désolé, Hardy. On oublie tout ça, déclara Maltais tout en frottant sa mâchoire brisée.

— Ouais, on oublie ça, dirent à leur tour Barrette et Anderson.

— N'en parlons plus, conclut Alex, satisfait. On passe l'éponge, d'accord?

Il sourit.

Il leva les yeux vers le soleil blanc et pur.

Souriant toujours, il reporta son regard sur ses copains.

Sonia avait disparu. Envolée.

Il cligna des yeux. Les quatre joueurs de football, furieux, se tenaient devant lui.

— Qu'est-ce qui te fait sourire, petit crétin? demanda Maltais.

Celui-ci n'était plus blessé. Aucun d'eux ne l'était. Il n'y avait pas eu de bagarre.

«Tu parles d'un temps pour rêvasser, pensa Alex. Mais quel rêve fantastique, tout de même!»

La lumière vive du soleil l'aveuglait toujours, mais il était de retour sur terre.

— Vincent est à l'hôpital et toi, tu souris! déclara Maltais d'un ton amer.

Il leva le poing et fit un pas vers Alex.

— Non, attends une minute, Maltais!

Alex lança le ballon de basket avec force sur l'asphalte.

— Vincent vous dirait que c'était un accident! Pourquoi ne pouvez-vous pas entrer ça dans vos grosses têtes?

— Vincent n'est pas ici pour nous le dire, n'est-ce pas, Hardy? dit O'Brien.

Il remonta les manches de son sweat-shirt comme s'il se préparait à attaquer.

— Si l'on marquait un temps d'arrêt? proposa Julien.

Alex s'aperçut que son ami cherchait également un chemin leur permettant de fuir et qu'il en venait à la même conclusion que lui. Sur le terrain adjacent, les élèves du premier cycle avaient interrompu leur match. Ils étaient tous appuyés contre la clôture, les observant en silence.

O'Brien poussa Julien violemment une première fois, puis une seconde.

— Va faire un tour, le toucan.

Julien sembla sur le point de protester, mais il se ravisa et fit quelques pas en arrière.

— Écoutez, il y a des témoins, dit-il enfin. On ne vous laissera pas faire. Vous feriez aussi bien de...

— *Qui* ne nous laissera pas faire? demanda

O'Brien. *Lui*?

Il fit mine de sortir un fusil de son ceinturon et pointa son arme imaginaire vers Alex. Puis, il lui servit un puissant coup de poing à l'abdomen. Alex, le soufflé coupé, tomba à genoux.

— Qu'est-ce que vous essayez de prouver? Que vous êtes des hommes de Néandertal? hurla Julien. Laissez-le tranquille!

— Ferme-la, Lemaire, cria Barrette.

Celui-ci se retourna et remit Alex sur ses pieds. Puis, il lui donna un coup de poing à la figure, manquant de justesse l'oeil droit d'Alex. Le sang se mit à couler sur la joue d'Alex.

Puis, O'Brien saisit Alex par les épaules, comme pour mieux placer sa cible. Il le frappa violemment à la bouche. La lèvre d'Alex se fendit. Son visage était couvert de sang.

— Hé, ça suffit, cria Maltais, regardant nerveusement vers les élèves du premier cycle, toujours appuyés contre la clôture, silencieux. Ce n'était qu'un accident, Hardy.

Les quatre garçons se mirent à rire, savourant la plaisanterie de Maltais.

— Hé, tu m'as blessé la main avec ton visage! cria furieusement O'Brien, tenant délicatement sa main droite dans sa main gauche.

Il se retourna brusquement et enfonça son poing dans le ventre d'Alex.

Celui-ci gémit et s'effondra sur le sol, respirant bruyamment, le sang coulant abondamment sur sa figure.

— C'était un accident! répéta Barrette. Juste un accident!

O'Brien pointa un doigt menaçant en direction de Julien qui, vert de peur, se tenait près de la clôture, les jambes tremblantes.

— Tu ferais mieux de la fermer, Lemaire. On ne sait jamais quand un autre accident peut se produire, n'est-ce pas?

Julien était trop bouleversé pour répondre. Il détourna le regard.

Les quatre joueurs de football se tapèrent dans les mains comme s'ils venaient de marquer le point de la victoire. Puis ils s'éloignèrent en courant, l'air menaçant mais triomphal.

Julien s'appuya sur la clôture, baissa la tête et eut un haut-le-coeur. Un bon moment s'écoula avant que son estomac ne se calme. Lorsqu'il eut finit de vomir, cependant, il était encore trop étourdi pour marcher. Il inspira profondément à quelques reprises et, se sentant un peu mieux, se dirigea vers Alex qui gisait toujours sur l'asphalte brûlant, les yeux fermés, le sang ruisselant sur son visage.

CHAPITRE 6

Alex se rendit à l'école très tôt le lendemain matin, avant sept heures trente. Personne ne l'attendait à l'extérieur. Il fit le tour de l'édifice et jeta un coup d'oeil dans le stationnement. Toujours personne. Alors il décida d'entrer.

Ses pas résonnaient sur le carreau du corridor vide. Une fille se tenait debout devant le casier d'Alex. Elle était grande et avait les cheveux d'un blond très clair. Elle portait une robe bleue toute simple; on aurait dit un sarrau.

Alex se dirigea vers elle en essayant de sourire, mais ses lèvres tuméfiées refusèrent de collaborer. Il vit qu'elle avait noué un ruban à coeurs rouges et jaunes dans ses cheveux, le genre de ruban que portent les petites filles. Ses yeux étaient d'un bleu très pâle, presque gris. Ils étaient translucides. On aurait dit qu'ils étaient peints, comme ceux d'une poupée.

Tout en elle était clair et pâle, sauf ses lèvres. Sa bouche était large et souriante, elle portait un rouge à lèvres cramoisi qui contrastait avec son teint de porcelaine. Alex trouva qu'elle ressemblait à Alice au pays des merveilles, mis à part ses lèvres presque violettes.

— Salut, c'est toi, Maude?

Même parler le faisait souffrir. Chaque mot était une torture pour son visage.

— Maude?

Elle le regarda comme s'il était du poisson pourri.

— Non, je suis Mélodie Colin. Qui es-tu?

Ses lèvres foncées formaient une moue méprisante.

Stupéfait, Alex resta planté là durant quelques secondes.

— Oh! Désolé.

Puis elle s'esclaffa et il reconnut son rire.

— Je n'ai pu garder mon sérieux, dit-elle, posant une main sur l'épaule d'Alex.

Elle serra légèrement son épaule, puis laissa tomber sa main. Alex remarqua qu'elle avait de très petites mains, comme celles d'une poupée.

— C'est agréable de faire enfin ta connaissance, Alex.

Sa voix était plus douce qu'au téléphone.

— Oui, dit-il, encore étonné qu'elle ait posé sa main sur son épaule.

Quel geste bizarre, pensa-t-il.

— Tu as une mine affreuse, fit-elle remarquer en examinant le visage d'Alex.

— Je... euh, je suis tombé de mon lit ce matin.

— Est-ce que tu habites sur le bord d'une falaise?

Elle se mit à rire. Alex s'efforça d'en faire autant, mais la douleur envahit son abdomen et ses côtes.

— C'est douloureux? demanda-t-elle sur un ton compatissant.

— Non, pas tellement, mentit-il.

— Et bien moi, ça me tue! Ha, ha!

Mais d'où pouvait bien venir ce rire bruyant et gros? se demanda Alex. Sa voix était pourtant si douce, si mielleuse. Toutefois, il aimait bien son sens de l'humour.

— Je t'en prie, ne me fais pas rire, supplia-t-il en se tenant le ventre.

— Je m'excuse, dit-elle rapidement tout en se mordant la lèvre inférieure. Mon principal défaut est d'aimer taquiner les gens...

Il voulut protester.

— ...mais j'ai également de très belles qualités, continua-t-elle.

Sa bouche cramoisie forma un sourire timide. C'était très *sexy*, surtout sur son visage si pâle, si innocent.

Alex tenta de sourire à son tour, mais l'ecchymose de sa joue se mit à élancer. Il était vraiment en piteux état. Il avait eu peine à se sortir du lit et, pendant un instant, il avait failli rester chez lui. Cependant, il avait conclu que ça ne se faisait pas de laisser tomber une fille une deuxième fois.

Alex avait poussé un véritable cri de douleur quand il avait tenté de se laver la figure. L'eau tiède l'avait brûlé comme de l'acide. Toutefois, il était maintenant content de s'être rendu à l'école. Ça en valait la peine. Il regarda Maude, si pâle dans la faible lumière du couloir. Il la trouva belle, à sa façon.

— Je voudrais encore m'excuser pour samedi soir, dit-il.

— Je t'écoute.

— Je m'excuse.

— Très éloquent, dit-elle. J'accepte tes excuses.

Et si on visitait, maintenant? Cette école est plus vaste que je ne l'avais cru. Combien y a-t-il d'étudiants ici?

— Je ne sais pas.

— Eh bien, je vois que j'apprendrai beaucoup de choses au cours de cette visite, fit-elle remarquer en prenant le bras d'Alex.

Sa main délicate était froide. «C'est bien, pensa Alex. Elle est probablement nerveuse aussi.»

— Par où veux-tu commencer? demanda-t-il, un peu mal à l'aise de constater qu'elle le tenait toujours par le bras. Dans quelle classe es-tu? Est-ce qu'on te l'a dit?

— Trois cent deux, répondit-elle.

— Monsieur Germain. Il n'est pas trop mal. Il fait des plaisanteries qui n'amusent que lui, mais tu n'es pas obligée d'écouter. Viens. Je te montre où se trouve le local. Ensuite, je te ferai visiter la cafétéria et la bibliothèque.

Quelques lève-tôt avaient commencé à arriver. Le silence des corridors fut bientôt remplacé par le bruit métallique des portes des casiers et par les boums des livres qu'on y laissait tomber. Deux filles qu'Alex ne connaissait pas les croisèrent et ouvrirent la bouche, ébahies. Alex songea qu'ils devaient offrir un drôle de spectacle : une grande fille blonde portant une robe bleue démodée accompagnée d'un garçon à la tête rouge et bouffie comme un saucisson.

— Nous venons de passer devant le trois cent deux, dit Maude en lui tirant le bras.

— Oh, désolé.

Il secoua la tête comme pour remettre ses idées en

place.

— Je suis un peu perdu ce matin.

— Peut-être devrions-nous nous asseoir quelque part, suggéra-t-elle. À l'infirmerie, par exemple.

— Je vais bien, dit-il rapidement. Tiens, voilà la cafétéria. Personne ne mange ici à moins d'y être obligé. Mais parfois, on n'a pas le choix.

Il sourit. Son visage ne le faisait plus autant souffrir. Peut-être Maude avait-elle la touche magique?

— Quelle école fréquentais-tu auparavant? demanda-t-il.

La question sembla la surprendre. Ses yeux s'écarquillèrent et sa bouche forma un O durant quelques secondes.

— Je fréquentais une école privée... très privée, répondit-elle en se retournant pour regarder une fille aux cheveux roses qui portait un blouson en imitation de léopard.

— Où?

— Quoi? demanda-t-elle, distraite.

— Où était cette école?

— Dans un endroit très privé, bien sûr.

Elle rit.

— Tu ne connais sûrement pas cet endroit.

— D'où viens-tu?

— D'un peu partout. Je suis déménagée plusieurs fois. Maintenant, je suis d'ici.

— Eh bien, je vois que j'apprendrai beaucoup de choses au cours de cette visite! dit-il.

Elle se mit à rire et se pressa contre lui.

— J'aime être mystérieuse, dit-elle sur un ton énigmatique.

— Tu y arrives très bien, lui fit-il remarquer.

— Où sommes-nous? demanda-t-elle en lui lâchant le bras.

— C'est le bureau de l'assistant du directeur.

Elle lui sourit, s'approcha de nouveau et posa sa tête contre l'épaule d'Alex durant un bref instant. C'était un geste simple, apparemment innocent, mais qui excita Alex au plus haut point.

«Comment pourrais-je penser à autre chose qu'à elle?», se demanda-t-il, constatant que cette fille avait réussi à le conquérir à l'aide de quelques sourires et de simples gestes.

Le faisait-elle consciemment?

Alex conclut qu'elle s'accrochait à lui parce qu'elle était nerveuse. Ce n'était pas facile de commencer dans une nouvelle école, surtout si l'endroit qu'on fréquentait avant était un tout autre genre d'établissement. Cette polyvalente était complètement à l'opposé d'une école privée. La preuve, seulement vingt pour cent des diplômés poursuivaient leurs études collégiales. De plus, Maude venait d'un endroit où, de toute évidence, la tenue vestimentaire des étudiants était beaucoup plus soignée.

— Tu t'es battu, n'est-ce pas? demanda-t-elle soudain sur un ton presque accusateur.

— Ouais. J'ai essayé, en tout cas, répondit Alex, le souvenir de la bagarre lui revenant à la mémoire.

Il laissa échapper un petit soupir.

— Est-ce que tu poses souvent des gestes macho comme ça? demanda-t-elle d'un ton provocateur.

— Tous les jours, répondit-il avec sarcasme. Rien de mieux qu'une bonne bagarre avant le petit déjeuner. Ça réveille.

— Tu n'es pas très habile avec ce genre d'humour, dit-elle en faisant la moue.

— Je m'améliore, rétorqua-t-il.

Il constata qu'il s'efforçait d'être aussi mystérieux qu'elle.

— Écoute, Maude, je n'ai vraiment aucune envie d'en parler. Il y a eu un malentendu et certains garçons croient que j'ai fait quelque chose que je n'ai pas fait réellement. Alors ils m'ont tabassé. Ce n'était pas un geste macho ni intéressé ni rien de ce genre. Pour être honnête, c'était la première bagarre de ma vie et j'espère que c'était...

— C'est le gymnase? l'interrompit-elle.

Il se rendit compte qu'elle n'avait pas écouté un mot de ce qu'il avait raconté.

— Est-ce qu'il y en a un pour les filles et un autre pour les garçons?

Il se renfrogna, vexé qu'elle se soit laissé distraire si facilement. Après tout, ce qu'il avait vécu était plutôt dramatique. Il ne lui avait pas demandé de le plaindre — ils venaient à peine de se rencontrer. Mais elle aurait au moins pu faire semblant d'écouter.

— Non, il n'y a qu'un gymnase, lui répondit-il. Tout est mixte ici.

— Hummm, c'est agréable, roucoula-t-elle, adoptant sa voix aguichante de nouveau.

— Il y a eu une émission d'actions l'an dernier pour financer la construction d'une piscine. Mais le projet a été rejeté. Tout ce qui a trait à la polyvalente est toujours rejeté.

Il ouvrit la porte et l'odeur familière du gymnase leur monta au nez.

Maude jeta un coup d'oeil à sa montre et Alex ne put déterminer si c'était par ennui ou par nervosité. Il opta pour la nervosité.

— Ce sera bientôt l'heure, annonça-t-il. Tu peux m'accompagner jusqu'à mon casier, c'est tout près de ton local.

Elle lui adressa un large sourire. Ils se frayèrent un chemin parmi la foule bruyante qui occupait maintenant le couloir encore désert quelques minutes auparavant.

— Hé, Hardy, qui t'a amoché comme ça?

Alex ne put voir qui lui parlait.

— C'est ton air naturel ou c'est parce que tu as oublié de sortir les ordures?

— Tu as des amis charmants, fit remarquer Maude, haussant le ton pour couvrir le bruit des voix et des portes de casiers qui claquaient.

Ils s'arrêtèrent devant le casier d'Alex.

— Ta classe se trouve juste là, tu te rappelles? demanda-t-il.

— C'était si gentil de ta part d'arriver plus tôt et de me faire visiter, dit-elle en baissant les yeux.

Puis, elle lui saisit la main et la serra fortement, un peu trop même, dans sa petite main glacée.

— Je... j'avais hâte de te rencontrer, dit Alex. Écoute, il y aura... euh... une danse ici dimanche soir.

— Je serais ravie de t'accompagner, dit-elle.

Elle lui adressa de nouveau un large sourire chaleureux.

— Notre rendez-vous surprise aura lieu une semaine plus tard, c'est tout, ajouta-t-elle.

— Marché conclu, dit-il.

Le corridor était presque vide, la plupart des élèves ayant gagné leurs locaux.

— Crois-tu que tu pourras trouver ma maison cette fois? demanda-t-elle. Hé, j'ai une idée : je te rejoindrai à l'école.

Elle ne semblait pas pressée de partir. Alex sourit à la pensée qu'elle voulait rester avec lui le plus longtemps possible.

— Bonne idée, dit-il.

— Bon... eh bien... à bientôt, dit-elle lentement.

«Elle est très jolie, pensa Alex. Bizarre, mais très jolie.»

Il se retourna et ouvrit son casier.

— Ohhh non!! s'écria Maude.

— Je n'arrive pas à le croire! hurla-t-il.

Ils regardaient tous les deux à l'intérieur de l'étroit casier : tous les effets d'Alex, y compris ses cahiers de notes et ses volumes scolaires, étaient maculés de sang.

Maude saisit le bras d'Alex et le serra fermement. Elle le dévisagea, ses yeux bleus remplis d'inquiétude.

— Alex, dit-elle d'une voix tremblante, est-ce que quelqu'un te veut du mal?

CHAPITRE 7

Le sang était en fait de la peinture rouge.

Mais cela ne rendit pas la journée d'Alex moins difficile.

D'abord, il dut manquer son cours pour aller au bureau du directeur afin d'obtenir de nouveaux volumes. Le directeur, monsieur Garnier, était un homme à l'allure calme qui portait toujours de vieux gilets de laine gris beaucoup trop grands pour lui et qui se promenait dans les corridors, une pipe éteinte à la bouche. Toutefois, il bondit lorsqu'Alex lui expliqua pourquoi il avait besoin de nouveaux volumes.

— Ce n'est pas une simple plaisanterie, dit monsieur Garnier, frappant du fourneau de sa pipe le dessus de son bureau. C'est un acte de vandalisme. Je ne peux tolérer de tels gestes gratuits dans cette école.

Alex, mal à l'aise, était assis de l'autre côté du bureau du directeur, le visage endolori et boursouflé, les mains couvertes de peinture rouge.

— Oui, je suis d'accord, dit-il calmement.

Cependant, lorsque monsieur Garnier lui demanda s'il soupçonnait quelqu'un, Alex se contenta de hausser les épaules.

— Qu'est-ce qui est arrivé à ton visage? demanda monsieur Garnier en se penchant en avant. Cela a l'air moche.

— *C'est* moche, marmonna Alex. Je me suis bagarré.

— Tu sembles avoir ta part de problèmes, fit remarquer monsieur Garnier, le dévisageant toujours. Tu es certain que tu ne veux pas en parler? Ça aide, tu sais.

«C'est un brave type», pensa Alex. Il avait même l'air charitable, qualité qu'on ne s'attend généralement pas à trouver chez un directeur d'école.

— Je ne crois pas que ça aiderait, répondit Alex. Il s'agit de quelque chose que je dois régler moi-même.

Monsieur Garnier l'observa en silence. Il prit sa pipe et la cogna doucement dans la paume de sa main.

— Nous devrions peut-être tenir une assemblée afin de discuter de cet acte de vandalisme, déclara-t-il, l'air pensif.

— *Non!*

Alex bondit sur ses pieds.

Monsieur Garnier recula, ébahi, et faillit perdre l'équilibre.

— Je vous en prie, supplia Alex. Ça ne ferait qu'aggraver les choses. Je vais m'occuper de tout ça. Vraiment, je le ferai.

— Tu sembles t'en être tiré à merveille jusqu'ici, rétorqua le directeur. Cette histoire a quelque chose à voir avec ce qui s'est passé sur le terrain de football l'autre jour, n'est-ce pas?

Alex fit un signe affirmatif.

— Fortin n'est plus dans le coma, annonça monsieur Garnier.

— Oh! C'est formidable! s'écria Alex.

— C'était dû au traumatisme. Cela arrive, parfois. Il va bien maintenant, sauf en ce qui concerne sa jambe, naturellement.

— Formidable, répéta Alex.

C'était la première bonne nouvelle qu'il entendait depuis longtemps.

— On ne lui permet pas de recevoir de visiteurs avant quelques jours. Mais c'est compréhensible. Écoute, Alex, nous te trouverons d'autres volumes. Et nous ne ferons rien à propos de ce malheureux incident de ce matin...

— Merci, monsieur Garnier. Je...

— ...mais si quelque chose d'autre survient, je veux que tu viennes me prévenir, tu m'entends?

— D'accord, répondit Alex en se levant.

Que pouvait-il ajouter? Durant un bref moment, il fut tenté de parler à monsieur Garnier des appels de menace qu'il recevait. Mais il se ravisa. Qu'est-ce que le directeur pourrait faire, de toute façon? Tenir une assemblée? Ça ne serait sûrement pas très efficace!

Alex remercia monsieur Garnier de nouveau et sortit. Une fois dans le couloir, il sursauta lorsque la cloche retentit, annonçant la fin du cours. Il tournait le coin pour se diriger vers sa classe lorsqu'il entra en collision avec Sonia Nichols.

— Aïe! s'écria-t-elle.

Elle exagérait. Il ne l'avait vraiment pas heurtée très fort.

— Salaud, tu veux *me* casser la jambe, maintenant?

— Sonia, je veux te parler.

— Si tu savais comme ça me touche, dit-elle d'un ton ironique. Est-ce que tu es au courant que Vincent a repris conscience?

— Oui, je viens tout juste de l'apprendre, répondit Alex, se hâtant pour la suivre tandis qu'elle marchait aussi vite qu'elle le pouvait. Je suis tellement content. Est-ce que tu lui as parlé?

— Pas encore, répondit-elle. Il ne peut recevoir ni appel téléphonique ni visiteur avant demain.

— Sonia, il faut que je te parle à propos des coups de téléphone.

Elle ne s'arrêta pas.

Alex interpréta son attitude comme un bon signe; au moins, elle l'écoutait. Elle semblait toujours furieuse, mais maîtrisait sa colère.

— Quels coups de téléphone?

— Je crois que tu sais très bien ce que je veux dire.

Elle pivota brusquement, se cognant contre deux autres élèves qui marchaient à ses côtés.

— Je n'ai pas le temps ni l'envie de jouer aux devinettes, Hardy, dit-elle en serrant les dents et en plissant les yeux.

— Sonia, les coups de téléphone...

La cloche retentit.

— Laisse-moi tranquille! cria-t-elle, se retournant et courant vers son local à l'autre extrémité du corridor. Tu m'entends? Tu m'as déjà causé assez d'ennuis comme ça!

Elle disparut dans la classe.

Mademoiselle Dupont passa sa tête argentée dans l'embrasure de la porte et dévisagea Alex.

— Vous êtes en retard, jeune homme. Où est votre classe?

Il n'arrivait pas à s'en souvenir.

Alex pensa à Maude durant tous ses cours et ses deux périodes d'étude. Il n'arrivait pas à la chasser de son esprit.

De nombreux élèves le boudaient, croyant qu'il avait délibérément cassé la jambe de Vincent, tandis que ceux qui lui adressaient la parole ne voulaient que lui rappeler à quel point son visage était horrible.

Alex tenta de retrouver Maude après son dernier cours, mais sans succès.

Il rentra chez lui en autobus, perdu dans ses pensées. Il se sentait triste et abandonné. Il trouva Simon étendu sur le canapé. Comme d'habitude, son frère regardait une reprise à la télévision. Simon s'aperçut qu'Alex n'était pas dans son assiette et il proposa à son frère de changer de chaîne afin de lui permettre de regarder des vidéoclips. C'était là un geste très généreux de la part de Simon, mais Alex déclina l'offre et monta dans sa chambre.

Un peu plus tard, il descendit souper. Il fit réchauffer des hamburgers, puis retourna à sa chambre. Il décida de se coucher. Pendant qu'il dormait, au moins, son corps endolori ne le faisait pas souffrir. Il n'était pourtant que vingt heures, mais Alex s'endormit rapidement.

La sonnerie du téléphone le réveilla. Il secoua la tête et regarda le réveil. Il était une heure du matin. Le téléphone sonnait-il depuis longtemps?

Une heure du matin.

Encore un de ces appels.

Quand arrêterait-elle son petit jeu? Où voulait-elle en venir?

Alex décrocha le récepteur. Il avait bien l'intention de la faire parler assez longtemps, cette fois. Il en viendrait à bout. Il y avait des limites.

— Maintenant, écoute-moi... cria-t-il dans le microphone, étonné de se voir si furieux.

— Hé, vieux, tu l'as rencontrée? De quoi a-t-elle l'air?

— Julien?

— Ouais, c'est Julien. Comme tu oublies facilement. Je n'ai pourtant été absent de l'école qu'une journée.

— Désolé, je... euh... je dormais. Où étais-tu aujourd'hui?

— Mon estomac faisait des siennes. Tu sais, le tien ferait de même si tu te voyais la figure! dit Julien. Ça va mieux?

— Je suis en pleine forme, répondit Alex.

— Est-ce qu'on t'a laissé tranquille aujourd'hui?

— Non. Ils ont versé de la peinture rouge dans mon casier.

— Charmant.

Julien demeura silencieux quelques instants.

— Au moins, toi, tu n'as pas à t'en faire pour ta popularité, dit-il au bout d'un moment. Tu *sais* que tout le monde te déteste!

— Très drôle, commenta Alex en bâillant. Puis-je retourner dormir maintenant que tu m'as remonté le moral?

— Non, répondit Julien. Parle-moi de Maude. Je

ne t'ai pas appelé pour savoir comment tu allais. Tu l'as rencontrée? Est-elle aussi séduisante en personne qu'elle semblait l'être au téléphone? Ou est-ce un monstre doté d'une voix sensuelle?

— Je l'ai rencontrée, dit Alex.

Il avait pensé à Maude toute la journée et toute la soirée. Pourtant, il n'arrivait pas à trouver de qualificatif pour la décrire.

— Elle est vraiment... gentille.

— Hum... répondit Julien. Gentille, hein?

— Elle est... séduisante, avoua Alex. Elle est très différente.

— Tu crois qu'elle couche? Allez, vieux, tu peux le dire à ton meilleur ami.

— Eh bien, euh...

— Je sais, je sais. Tu préfères attendre la lune de miel. Vraiment, c'est très intéressant de bavarder avec toi ce soir, Alex.

— Écoute, Julien. Je dormais. Et j'ai mal à la tête.

— Hé, tu as dû faire toute une impression à Maude avec ta face en chou-fleur.

— Tu es vraiment passé maître dans l'art de faire des compliments, dit Alex d'un ton las. Hé, tu as appris la nouvelle? Vincent a repris conscience. Il est sorti du coma.

— C'est fantastique! Vraiment. Hé, tu sembles plutôt nerveux ce soir, je me trompe?

— Nerveux? Mais *pourquoi* donc le serais-je? dit Alex. Je mange une raclée, je reçois des appels de menace tous les soirs, on verse de la peinture rouge dans mon casier...

— Sans oublier que tout le monde te déteste à

l'école, ajouta Julien.

— Merci de me le rappeler. C'est très aimable de ta part.

Ils se mirent à rire.

— Bon, je te laisse, dit Julien brusquement. Je voulais juste m'assurer que tu savais toujours rire. Bonne nuit.

Et il raccrocha.

Alex resta assis dans le noir, le récepteur à la main.

— J'ai des amis bizarres, dit-il à haute voix.

Il se recoucha. Il mit du temps à se rendormir. Il pensait à Maude. Curieusement, elle paraissait si distante, et ce, même lorsqu'elle tenait son bras. Il avait aimé la façon dont elle l'avait touché. Elle semblait disponible... prête à tout. Il pourrait probablement aller jusqu'au bout avec elle.

Qu'avait-elle donc de si différent des autres filles de la polyvalente? Tout d'abord, la robe bleue. Elle était si démodée. En fait, Maude n'avait rien d'une fille à la mode. Ses cheveux, ses vêtements, tout avait l'air... dépassé. Elle ne transportait pas ses livres dans un sac à dos comme... Hé, un instant!

Elle ne transportait *rien*.

Il la revit, debout devant son casier lorsqu'il était arrivé à l'école. Non, elle n'avait rien apporté. Pas même un calepin.

Il voulut continuer à réfléchir à ce qui la distinguait des autres mais, au bout d'un moment, il sombra dans un profond sommeil.

Lorsqu'il descendit l'escalier le lendemain matin, se cramponnant à la rampe en raison de ses côtes endolories, il fut surpris d'apercevoir son père qui l'attendait dans la cuisine. Celui-ci portait son uniforme, mais il n'avait pas mis de cravate et le col de sa chemise n'était pas boutonné. Ses yeux étaient cernés et sa lèvre inférieure trembla lorsqu'il voulut saluer Alex.

Il passa son bras autour des épaules de son fils et le conduisit vers le canapé du salon.

«Oh oh! pensa Alex. Il y a quelque chose qui ne tourne pas rond.»

Il avait raison.

— J'ai eu des nouvelles ce matin, commença son père.

Sa voix était enrouée, mais il ne prit pas la peine de l'éclaircir.

— Des nouvelles? demanda Alex, sentant son estomac se nouer.

— Oui. J'ai... euh... j'ai eu un appel. Très tôt. J'ai attendu que tu te réveilles.

Il entourait toujours Alex de son bras. Alex eut l'impression que son père s'appuyait sur lui pour mieux se tenir debout. Il n'avait jamais fait cela auparavant.

— Quoi? Qu'est-ce qu'il y a, papa?

— C'est ton frère Donald, dit le lieutenant Hardy. Il s'est enfui.

CHAPITRE 8

Enfui?

D'où?

Pour la première fois, Alex prit conscience qu'il ignorait où son frère se trouvait. Comment était-ce possible? Avait-il vécu dans un monde imaginaire durant une année entière?

— Nous avons tous vécu dans un monde imaginaire au cours de l'année qui vient de s'écouler, dit son père, lisant dans les pensées de son fils. J'ai essayé de te protéger. Les médecins ont dit que c'est ce que je devais faire.

— Me protéger de quoi, de qui? demanda Alex. De Donald?

Son père ne répondit pas. Il se dirigea vers le réfrigérateur, en sortit un pichet de jus d'orange et en versa un verre à Alex. Celui-ci saisit le verre que son père lui tendait et avala une longue gorgée. Le jus était amer et de la pulpe était demeurée dans sa gorge. Il prit une seconde gorgée.

— Mais, papa... commença-t-il.

Mais son père était retourné dans le salon.

— Est-ce que Donald revient à la maison? demanda Alex.

Le lieutenant Hardy faisait les cent pas dans la petite pièce, se frottant le menton, perdu dans un tourbillon de pensées.

— Allez, papa, insista Alex, essayant d'attirer l'attention de son père. Tu dois tout me dire maintenant. Tu n'as plus tellement le choix, n'est-ce pas?

— Les docteurs... ils croyaient tous que tu aurais retrouvé la mémoire au bout d'un an, dit son père en évitant le regard de son fils. Ç'aurait été plus facile, je suppose.

Il se tourna vers son fils.

— Tu ne te souviens de rien?

Alex ferma les yeux.

— Non. De presque rien.

— Qu'est-ce que tu veux dire «de presque rien»? demanda le lieutenant Hardy. Si je comprends bien, tu te souviens de quelque chose?

— Des phares, répondit Alex. Je vois des phares. C'est tout, papa. Je suis désolé.

— Moi aussi, je suis désolé, dit son père calmement. Je ne suis qu'un flic.

— Mais tu es habitué à annoncer de mauvaises nouvelles, dit Alex, un soupçon de colère dans la voix.

Était-ce la colère ou seulement l'impatience d'entendre ce que tous s'efforçaient de lui cacher depuis tant de mois?

— Hé, tu n'as aucune raison de me parler sur ce ton, dit le lieutenant Hardy. J'ai seulement voulu faire ce que je croyais le mieux. Ça n'a pas été facile. Surtout avec le départ de ta mère. Mais je ne me plains pas. Lorsqu'on est flic, on apprend à voir les deux côtés de la vie : le bon et le mauvais.

Alex s'assit sur le canapé. Il prit conscience que son père devait être très troublé. Il ne l'avait jamais entendu philosopher comme ça auparavant.

Alex n'écoutait pas vraiment son père. Il constata à quel point Donald lui avait manqué.

Son frère aîné avait été la personne qui comptait le plus dans sa vie. Comment pouvait-il ne pas savoir où il se trouvait? Comment pouvait-il s'en ficher?

— ...du moins, c'est ce que les médecins croient, dit son père. Toutefois, ça ne tient plus aujourd'hui.

Il dévisagea Alex de l'autre côté de la pièce.

— Quoi?

— Écoute, Alex, puisque Donald s'est enfui, je n'ai pas le choix. Il faut que je te raconte ce qui s'est passé, du moins, en partie. Ce ne sera pas facile pour toi. Mais...

Le lieutenant Hardy voulut s'asseoir sur le canapé à côté d'Alex, mais le téléphone sonna à cet instant.

Alex bondit, mais son père alla répondre.

— Allô?

Il écarquilla les yeux, puis fronça les sourcils. Il resta silencieux durant quelques secondes, puis raccrocha bruyamment.

— Qui était-ce? demanda Alex.

— Une fille, probablement l'une de tes copines, répondit le lieutenant Hardy en s'assoyant sur le canapé. Elle a commencé à dire quelque chose, mais lorsqu'elle s'est aperçue que c'était moi, elle a raccroché.

«C'était probablement Sonia, téléphonant pour faire ses menaces habituelles», songea Alex.

Son père poussa un gémissement. Son dos devait le faire souffrir de nouveau.

— Écoute, papa, dit Alex avec impatience, quoi que tu aies à me dire, dis-le, un point c'est tout. Tu ne fais qu'empirer les choses en traînant comme ça.

— Empirer les choses?

Un sourire ironique apparut sur le visage du lieutenant Hardy.

«Dis quelque chose, papa. Dis *quelque chose*!», pensa Alex.

— Il y a eu un accident, commença le lieutenant Hardy d'une voix neutre, fixant le bout de ses chaussures noires.

— Je le savais! s'écria Alex. Les phares...

Son père se leva et se dirigea vers la fenêtre.

— Ne m'interromps pas. Laisse-moi parler. Facilite-moi un peu la tâche, tu veux bien?

— Désolé, dit Alex.

— C'était il y a un peu plus d'un an. En juillet. Vous étiez tous en vacances. Il n'y avait pas d'école.

Son père regardait dehors tandis qu'il parlait.

— Il était tard le soir. Vous étiez trois sur la banquette avant de notre voiture. Tu te souviens de la voiture?

Alex réfléchit.

— Non.

— Je n'entrerai pas dans les détails, Alex. Je vais me contenter de t'en dire juste assez pour... pour que tu puisses comprendre à propos de Donald.

— D'accord, d'accord, dit Alex, incapable de cacher son impatience même s'il voyait que son père s'efforçait de bien peser chaque mot.

Il y eut un silence.

— Il était tard le soir. Je te l'ai dit? De toute façon, ça n'a pas beaucoup d'importance. Il y a eu un accident, une collision en bas de la côte, près de la courbe. L'impact a été... assez violent. La petite amie de Donald était assise au milieu, entre Donald et toi. Sa tête a donné contre le rétroviseur. Puis, il y a eu un second impact et...

Alex attendit. Son père inspira profondément. Bien qu'il fût policier, il n'arrivait pas à s'habituer à la mort.

— ...la fille a été tuée, dit-il rapidement.

— Et Donald? demanda Alex d'une voix faible.

— Donald n'a pu l'accepter. Il a flanché.

— Mais il était en vie? demanda Alex.

— Oui. Presque indemne, répondit le lieutenant Hardy, étonné par la question de son fils. Tout comme toi, sauf pour quelques égratignures. Cette cicatrice sur ta tempe...

Alex leva la main et toucha la cicatrice. Il n'y avait jamais vraiment prêté attention, sauf lorsqu'il l'accrochait avec son peigne.

— Mais Donald a été incapable d'accepter que sa petite amie... ait perdu la vie. Il n'a pas tenu le coup. Nous n'avions pas le choix. Nous avons dû le faire hospitaliser dans un de ces instituts pour handicapés mentaux.

C'était donc *là* que se trouvait son frère? Dans un hôpital psychiatrique?

— Tu... euh... tu ne te souviens pas de ça? demanda son père avec prudence.

— Non, murmura Alex. Des phares, c'est tout. Rien d'autre.

— Eh bien, je t'en ai dit suffisamment, je crois, dit le lieutenant Hardy. Donald était hospitalisé depuis ce temps. J'ai essayé d'aller le voir, mais les médecins ne voulaient pas. Ils prétendaient que Donald guérirait plus vite s'il ne voyait aucun membre de notre famille. Ils avaient probablement raison. Néanmoins, on me donnait des nouvelles de lui toutes les semaines. Je l'avais à l'oeil. Je ne l'ai jamais abandonné.

— Est-ce qu'il va mieux? demanda Alex dans un murmure.

— C'est ce que les médecins me disaient. Il aurait même pu être à la maison pour Noël. Puis, à la première heure ce matin, je reçois ce coup de téléphone m'apprenant que Donald s'est enfui.

Il secoua la tête tristement.

— Peut-être a-t-il décidé qu'il en avait assez. Peut-être qu'il va bien maintenant, suggéra Alex.

— Peut-être que le père Noël existe vraiment et qu'il habite le pôle Nord! Voyons, tu sais bien que ce n'est pas comme ça que ça fonctionne, Alex, dit le lieutenant Hardy avec amertume.

— Peut-être qu'il s'en vient ici, dit Alex, ignorant la remarque de son père. Nous pourrons le voir, lui parler. Ce sera formidable, n'est-ce pas?

— Je ne sais pas, répondit son père. Je ne sais pas.

Il jeta un coup d'oeil à sa montre. Puis, il quitta la fenêtre et se dirigea vers Alex.

— Ça va?

— Oui, je crois. Je ne me rappelle toujours rien.

— Ça reviendra un jour. Et tu pourras alors faire face à la vérité. Tu es plus fort que tu ne le crois.

En attendant, je veux que tu sois prudent, dit son père en tentant de faire le noeud de sa cravate.

Ses mains tremblaient tellement qu'il abandonna après trois essais infructueux, lançant la cravate sur le sol.

— Je dois partir. Tu sais comment me joindre si tu as besoin de moi.

— Oui, bien sûr. Crois-tu que Donald sera ici quand...

— L'hôpital est à deux jours de voiture d'ici, dit le lieutenant Hardy sur le pas de la porte. Ne t'attends pas à ce qu'il soit ici pour le lunch. De toute façon, je ne suis pas certain qu'il viendra. Peut-être que oui, peut-être que non. J'ai pensé qu'il valait mieux te mettre en garde...

Le *mettre en garde*?

— Est-il... dangereux, papa?

Alex eut peine à prononcer ces mots.

— Prépare-toi pour l'école, dit son père en s'efforçant d'être plus joyeux. Tout se passera très bien, tu verras.

Le lieutenant Hardy ne pouvait se résoudre à répondre à la question de son fils.

— Hé, où est passé Simon?

Alex constata soudain que son frère n'était pas là.

— Il est chez son copain Thierry. Je lui ai déjà parlé ce matin, avant que tu ne te lèves, dit le lieutenant Hardy.

Celui-ci poussa la porte grillagée et se dirigea vers la voiture de police. Alex entendit le bruit de ses pas sur le gravier. Il se précipita vers la porte.

— Hé, papa...

Le lieutenant Hardy s'arrêta et se retourna.

— Quoi?

— Une dernière question.

— Je t'écoute, dit son père en fouillant dans ses poches à la recherche de ses clés.

— La fille qui est morte, la petite amie de Donald. Est-ce qu'elle s'appelait...

— Marilou, dit son père.

Il ouvrit la portière et monta péniblement dans la voiture.

CHAPITRE 9

Alex roulait lentement dans le stationnement, à la recherche d'une place. Le stationnement était presque déjà rempli, malgré le fait qu'il n'était que vingt heures, et Alex dut garer la Mustang sur un terrain vague à l'arrière du terrain de football.

Il verrouilla les portières et marcha rapidement vers le gymnase.

— Qu'est-ce qui se passe, Hardy? Tu n'as trouvé personne pour t'accompagner? lui cria quelqu'un.

Ne pouvant voir qui lui adressait la parole, il poursuivit son chemin. Il aperçut Maude qui l'attendait sur le trottoir à l'entrée du stationnement.

— Salut! lui cria-t-il en faisant un geste de la main.

Mais elle ne sembla pas le voir.

Il se mit à courir, ses chaussures neuves glissant sur l'asphalte. Maude portait une longue robe violette très moulante qui scintillait, tout comme ses cheveux blonds, sous les lampadaires du stationnement. Elle tenait un châle blanc sur ses épaules.

Elle repéra Alex, lui fit un petit signe de la main et se mit à courir vers lui. D'autres couples qui se dirigeaient vers le gymnase se retournèrent pour la regarder. Elle était un peu trop habillée pour une simple danse au gymnase.

— Maude, dit-il. Bonsoir.

Elle lui tomba dans les bras.

— Désolée!

Elle se redressa.

— J'ai trébuché.

— Ça ne m'a pas dérangé du tout, dit-il, s'efforçant d'adopter un ton sensuel.

Elle posa un rapide baiser sur sa joue. Ses lèvres étaient chaudes et douces. Elle lui sourit. Puis, ils se dirigèrent vers le gymnase. Alex se demanda si elle avait laissé des traces de rouge à lèvres sur sa joue.

— Eh bien, tu as trouvé l'école. C'est étonnant! plaisanta-t-elle en saisissant le bras d'Alex, se blottissant contre lui.

Elle était si près de lui qu'il pouvait sentir la chaleur de son corps.

— Est-ce que j'étais en retard? Ou plutôt, est-ce que je suis en retard?

Elle le rendait nerveux.

— Il n'est jamais trop tard, murmura-t-elle dans son oreille.

Un frisson le parcourut.

Il ouvrit la porte du gymnase et tendit les billets à mademoiselle Dupont, qui était assise à une table près de la porte.

— Deux? demanda-t-elle sans attendre de réponse.

Elle déchira les billets et leur fit signe d'entrer.

— Dis donc! une vraie soirée de polyvalente, dit Maude avec sarcasme.

Puis son expression s'adoucit et elle regarda Alex

avec des yeux de petite fille.

— J'avais tellement hâte de te revoir, dit-elle doucement.

Le thème de la soirée était l'automne. La salle était décorée de grosses feuilles orangées et brunes fabriquées avec du papier de construction. Des citrouilles et des pommes en papier pendaient au plafond, tout comme les ballons d'Halloween orangés et noirs. Il y avait également une peinture murale montrant un joueur des Panthères qui s'apprêtait à botter un énorme ballon sur lequel on pouvait lire «Bonne chance aux Panthères!»

Cette phrase anodine cloua Alex sur place. Il parcourut la salle des yeux pour s'assurer qu'aucun de ses anciens coéquipiers n'était là, mais il ne pouvait pas vraiment distinguer les visages. On avait baissé les lumières.

— Est-ce que ma robe te plaît?

Il se rappela brusquement la présence de Maude et se tourna vers elle. Elle laissa tomber le châle blanc qui lui couvrait les épaules, révélant ainsi le profond décolleté de sa robe.

— Sensass!

— Eh bien, Alex, tu te laisses facilement impressionner, dit-elle, riant de le voir écarquiller les yeux.

— Non, c'est que...

— Je ferais mieux de remonter mon châle, dit Maude sur un ton taquin. Je ne voudrais pas que tu deviennes fou furieux, du moins, pas tout de suite...

— C'est une très jolie robe, parvint à dire Alex.

Maude était bien roulée. Mais il y avait quelque chose d'étrange en elle. Comme si son corps et son visage innocent ne pouvaient appartenir à la même personne. Et cette robe. Ce n'était pas du tout son style. On aurait dit qu'elle portait la robe de quelqu'un d'autre et que ce corps n'était pas le sien.

— Je suis ravie qu'elle te plaise, dit-elle avec une timidité feinte.

Alex reçut une violente poussée dans le dos. Son sang ne fit qu'un tour. Bien sûr, il aurait dû se douter que l'équipe de football serait ici ce soir. Et, bien sûr, il serait de nouveau une proie facile pour ces brutes.

Il pivota, prêt à engager le combat.

— Hé, comment ça va?

— Julien. Salut. Je te présente Maude. Maude, Julien.

— Je m'appelle Julien, dit ce dernier, admirant la robe de Maude.

— Je m'en doute, dit Maude.

— Si c'est Alex qui le dit, plaisanta Julien.

— Est-ce que tous tes amis sont ennuyeux comme lui? demanda Maude à Alex.

— Non, seulement lui, répondit Alex.

— Hé, c'est vraiment gentil de ta part, vieux, fit remarquer Julien. Maude, tu veux savoir ce que c'est qu'un garçon *vraiment* ennuyeux? Alors passe une soirée avec ce type! Ha, ha!

Maude prit la main d'Alex et la serra fort.

— Où est ta copine? demanda-t-elle à Julien.

— Là-bas, près du mur. C'est celle qui est à genoux, dit Julien en la désignant du doigt.

— Moi aussi, je ferais ma prière si je devais sortir avec toi, le taquina Alex.

— Elle a perdu un verre de contact, expliqua Julien. C'est peu probable qu'elle le retrouve avec cette obscurité, mais elle n'a pas de lentille de rechange. Hé, tu as meilleure mine, ajouta-t-il en examinant le visage d'Alex comme si ce dernier était un spécimen de laboratoire.

— On va danser? proposa Maude en tirant sur la manche d'Alex.

«Ses mains sont-elles toujours glacées comme ça? se demanda Alex. Ou est-ce simplement la nervosité?»

— À plus tard, dit Julien.

Maude entraîna Alex sur la piste de danse, se faufilant à travers la foule, et se mit à danser lentement, malgré le rythme endiablé de la musique, tenant toujours les mains d'Alex dans les siennes.

— Julien a raison. Tu as *vraiment* meilleure mine, cria-t-elle pour couvrir la musique.

— C'est parce qu'il fait noir, répondit-il, s'efforçant de la suivre.

Il en était toutefois incapable, car elle ne suivait pas du tout le rythme de la musique.

— Tu as un joli visage, dit-elle.

Quelqu'un accrocha le disque qui tournait. Il y eu un bruit d'égratignure. Après quelques secondes de silence, les premières notes d'une ballade langoureuse se firent entendre.

Tandis qu'ils dansaient, Maude entraînait Alex vers l'arrière de la salle. Ses yeux étaient fermés et ses lèvres foncées formaient un large sourire. Elle leva le visage vers celui d'Alex, le guidant toujours vers l'arrière de la salle.

Lorsqu'ils eurent atteint le mur, elle le poussa doucement contre celui-ci. Puis, elle mit ses mains derrière la nuque d'Alex, attira son visage vers le sien et l'embrassa.

Alex fut tellement surpris qu'il eut le souffle coupé. Les lèvres de Maude étaient douces et chaudes et elle les pressait de plus en plus fort contre les siennes. Au début, il essaya de lui rendre son baiser. Mais lorsqu'elle se mit à lui mordiller les lèvres, il tenta de se dégager, de mettre fin au baiser et de reprendre son souffle.

Mais elle le tenait fermement, ses petites mains glacées se resserrant autour du cou d'Alex. Ça devenait douloureux. En fait, ce n'était pas un baiser, mais une attaque. Ses dents poussaient toujours plus fort et sa langue s'enfonçait dans la bouche d'Alex.

Enfin, elle soupira et mit fin au baiser.

Alex inspira profondément. Avant qu'il n'ait pu prononcer une parole, elle lui saisit la tête de nouveau.

— Désolé, Alex. Parfois, je suis un peu... impulsive, lui murmura-t-elle à l'oreille.

Elle recula et lui lâcha la tête, un sourire timide sur les lèvres. Elle avait l'air mal à l'aise.

— C'était bon, dit-elle à voix basse.

Puis, elle se retourna et courut sur la piste, disparaissant parmi les silhouettes des danseurs.

Alex voulut la suivre, mais il s'arrêta. Il s'appuya contre le mur et porta la main à ses lèvres endolories. Il saignait.

Alex partit à la recherche de Maude. Avait-elle quitté le gymnase? Allait-elle revenir?

— Hé, vieux, c'est une jolie fille! lui cria Julien.

Félicia, la fille qui l'accompagnait, salua Alex.

Elle n'avait pas retrouvé son verre de contact et louchait légèrement.

— Tu as remarqué, dit Alex, s'efforçant d'avoir l'air aussi nonchalant que possible, espérant que Julien ne lui demanderait pas où se trouvait Maude.

— Au fait, où est-elle? demanda Julien.

— Aux toilettes, répondit Alex en promenant son regard sur la foule.

— À tout à l'heure, dit Julien.

Et il s'éloigna sur la piste de danse, Félicia à ses trousses.

Alex se dirigea vers l'entrée du gymnase. Mademoiselle Dupont était toujours là. Elle fronça les sourcils en voyant Alex s'approcher. «Elle ne m'aime pas, pensa Alex. En fait, elle n'aime personne», conclut-il.

— Est-ce que ma copine est sortie? lui demanda-t-il.

Une nouvelle fois, elle fronça les sourcils.

— La fille avec la robe violette?

— Oui.

— Non, je ne l'ai pas vue.

— Merci.

Alex retourna dans la salle. Ses lèvres lui faisaient mal.

Parfois, je suis un peu... impulsive.

Pourquoi l'avait-elle embrassé comme ça? Était-ce la passion du moment? L'aimait-elle vraiment? Ou s'amusait-elle à ses dépens?

Elle avait l'esprit tellement vif et était si sûre d'elle. Mais elle était beaucoup trop bien habillée pour la circonstance; c'en était presque embarrassant. Cependant, elle ne semblait pas s'en apercevoir. De plus, elle était toujours accrochée à lui, le tirait, le touchait. Était-elle nerveuse ou essayait-elle de *le* rendre nerveux?

Alex songea soudain qu'elle s'efforçait peut-être de paraître mystérieuse. Si c'était le cas, elle réussissait très bien!

Il marcha jusqu'à la table des rafraîchissements garnie de gros pichets de jus de pomme, de gâteaux à la citrouille et de biscuits aux raisins. Aucune trace de Maude. Jouait-elle à cache-cache avec lui? Se sentait-elle ridicule à cause du baiser passionné?

Tout à coup, il vit quelqu'un sortir furtivement du gymnase par la porte qui menait aux classes. Était-ce Maude? Il traversa rapidement la piste de danse. Puis, il poussa la porte et pénétra dans le corridor obscur.

Il entendit des pas non loin de lui.

— Maude?

Silence.

Il regarda au bout du couloir. Seule une faible lumière avait été allumée. De toute évidence, on ne voulait pas que les élèves errent du côté des classes.

De nouveau, il entendit des pas qui se dirigeaient vers la lumière.

— Maude, c'est toi? demanda-t-il.

Toujours aucune réponse.

Il se mit à marcher rapidement vers la lumière.

Ses pas résonnaient sur le carreau.

— Maude? répéta-t-il.

À l'autre extrémité du corridor, Alex s'arrêta. Des bruits de voix lui parvinrent. Il marcha en leur direction.

— Maude?

— Hé, Hardy!

Deux silhouettes surgirent dans le couloir sombre.

Maltais et O'Brien.

— Hé, Hardy! Attends!

Ils se mirent à courir vers lui.

Alex tourna les talons et courut dans l'autre direction. Si seulement il était resté dans le gymnase! Entourés de professeurs et de centaines d'élèves, ils n'auraient jamais osé lui toucher. Maintenant, seul dans ce corridor obscur, il était totalement à leur merci.

— Hardy! Arrête!

Il courait à toutes jambes, mais la distance qui les séparait diminuait.

«Ces garçons sont donc toujours ensemble?», pensa Alex. Étaient-ils venus à la danse ensemble? Malgré la peur qui l'habitait, Alex sourit. Il les imaginait, dansant ensemble, joue contre joue.

— Hardy!

S'il continuait à courir en ligne droite, ils le rejoindraient dans quelques secondes. Il aperçut la porte de la cafétéria à gauche. S'il parvenait à y entrer, il pourrait se réfugier sous une table ou dans la cuisine. Il pourrait peut-être s'en tirer.

Le coeur battant, il s'arrêta devant la cafétéria et se retourna vivement pour constater que ses poursuivants n'étaient plus qu'à quelques mètres de lui. Il poussa la porte d'un coup d'épaule.

Elle était verrouillée.

— Non! s'écria-t-il.

— Hardy! Hardy! Espèce d'idiot!

Il se précipita dans l'escalier qui se trouvait devant la cafétéria. Ses souliers neufs glissèrent et il trébucha, tâtonnant dans le noir pour trouver la rampe. Il se retrouva au sous-sol, qui était encore plus noir que le couloir. Hors d'haleine, il reprit sa course.

Il savait que le local du concierge se trouvait droit devant lui. Il pourrait s'y cacher facilement, si la porte n'était pas verrouillée.

Alex entendit des pas dans l'escalier. Ils allaient le rattraper.

Il poussa la porte du local du concierge.

Verrouillée.

Il sentit son estomac se nouer et les muscles de son cou se contracter sous l'effet de la peur. Il s'appuya contre la porte, retenant son souffle. Maltais et O'Brien passeraient peut-être devant lui sans le voir. Il pourrait alors remonter et retrouver la foule sécurisante du gymnase.

— Hardy! Espèce de poule mouillée! Hé, Maltais, le voilà! cria O'Brien.

— Écoutez... commença Alex en levant les poings.

— Maltais! Ici! répéta O'Brien.

Maltais s'approcha d'un pas pesant. Les deux amis se tenaient côte à côte, souriant à Alex.

CHAPITRE 10

O'Brien posa son gros poing contre la poitrine d'Alex, clouant ce dernier à la porte.

«Ça ne se peut pas, se dit Alex. Je vais encore me faire tabasser par ces deux sauvages.»

— Hé, Hardy, calme-toi, dit O'Brien.

— Ouais, calme-toi, répéta Maltais.

— On te doit des excuses, continua O'Brien.

— Quoi? murmura Alex.

— Tu as bien entendu, dit O'Brien en libérant Alex.

— C'était un malentendu, expliqua Maltais. Nous avons vu Vincent aujourd'hui à l'hôpital. Il nous a donné sa version des faits.

Alex était encore trop essoufflé pour parler. Que racontaient-ils donc? Il n'arrivait pas à saisir le sens de leurs paroles.

— Comment va Vincent? parvint-il enfin à demander.

— Son état s'améliore, répondit O'Brien. Ça n'a pas été une partie de plaisir, mais il s'en tirera.

— Tant mieux, dit Alex. C'est une bonne nouvelle.

— Vincent dit que tout ça n'était qu'un malheureux accident, ajouta Maltais. Il affirme que tu es tombé sur lui parce que tu n'as pu t'arrêter.

— Il ne t'en veut pas, poursuivit O'Brien. Il a vu comment ça s'est passé. Il est certain que tu ne l'as pas fait exprès.

— Bien sûr que non, dit Alex, s'animant.

Mais soudain, un frisson d'horreur le parcourut. Est-ce qu'il rêvait encore tout éveillé? Imaginait-il tout ça? Ouvrirait-il les yeux pour se retrouver de nouveau face à ces brutes, prêtes à lui sauter dessus?

Alex cligna des yeux.

— Sans rancune, dit Maltais.

Il tendit une énorme main à Alex. Celui-ci la serra. Puis, il fit de même avec O'Brien.

— Sans rancune, dit O'Brien.

— N'empêche que tu es toujours un petit salaud, ajouta Maltais. Mais on voulait mettre les choses au clair.

Ils tournèrent les talons et s'éloignèrent dans le noir. Alex ne bougea pas et les entendit monter l'escalier.

— Quel imbécile, dit O'Brien.

Les deux garçons s'esclaffèrent. Leur rire et le bruit de leurs pas s'évanouirent peu à peu.

Alex demeura dans l'obscurité durant quelques minutes. Il commençait à se sentir beaucoup mieux. La version de Vincent ferait bientôt le tour de l'école et, convaincus de son innocence dans cette histoire, tous ses amis recommenceraient à lui parler, comme avant, mettant ainsi fin aux coups de téléphone anonymes.

Alex se dirigea vers l'escalier et monta les marches quatre à quatre. La musique lui parvenait du gymnase. Maude...

Il l'avait presque oubliée.

Il devait la trouver. Il avait envie de tout lui raconter, de lui dire à quel point il se sentait bien.

Alex ouvrit tout grand la porte du gymnase. Il fut accueilli par un tourbillon de bruit, de chaleur et de lumières tournoyantes ainsi que par la clameur de la foule qui bavardait, dansait et riait.

— Hé! Maude!

Elle était là, toute seule, debout près de la table des rafraîchissements, un verre de jus à la main.

— Maude! Où étais-tu passée?

— C'est sans importance. *Toi*, où étais-tu? Je t'ai cherché partout.

Elle lui prit le bras. Pour la première fois, elle avait les mains chaudes.

— Tu veux du jus de pomme? Il est assez bon. J'ai cru que tu étais parti. Tu n'aurais pas fait une chose pareille, Alex? Je te plais, n'est-ce pas?

Elle parlait sans arrêt. Pourquoi était-elle si énervée? C'est lui qui avait une raison d'être dans tous ses états.

— Deux joueurs des Panthères viennent de me présenter leurs excuses, lui dit-il, passant son bras autour de sa taille.

Elle se libéra de son étreinte.

— Quoi?

— Vincent leur a expliqué que c'était un accident. Je ne suis plus le monstre de la polyvalente.

— C'est bien, dit-elle, le regardant comme s'il avait parlé une autre langue. Je n'ai jamais pensé que tu étais un monstre, ajouta-t-elle, retrouvant sa petite voix mielleuse et posant sa tête contre l'épaule d'Alex durant un bref instant. Allons danser, dit-elle en lui prenant les mains. Je n'ai pas envie que tu te sauves encore une fois. Tu m'entends?

Alex sourit et la suivit sur la piste de danse. C'était pourtant *elle* qui s'était enfuie la première. De toute façon, il n'avait aucune envie de se disputer avec elle.

Ils dansèrent beaucoup mais parlèrent peu. La soirée passa vite. Après la dernière danse, on alluma les lumières, indiquant que la fête était terminée.

Maude passa son bras autour de la taille d'Alex tandis qu'ils faisaient la file pour sortir. Julien leur fit un petit signe de la main. Alex aurait bien voulu lui raconter ce qui s'était passé avec Maltais et O'Brien, mais il perdit son ami dans la foule.

L'air froid leur fouetta le visage lorsqu'ils furent à l'extérieur.

Maude leva la tête vers Alex et lui adressa un large sourire.

— Qu'est-ce qui te fait sourire comme ça? demanda-t-il en l'attirant vers lui.

— Rien. Je pensais à quelque chose, dit-elle d'un air taquin.

— Penser? Voilà qui peut devenir très dangereux, plaisanta-t-il.

— Où est la voiture? demanda-t-elle.

— Oh, j'ai dû la garer devant chez moi. Je n'arrivais pas à trouver une place dans le stationnement. C'est à peine à huit ou neuf kilomètres d'ici. Ça ne t'ennuie pas, j'espère?

Elle rit et secoua la tête.

— Tu es amusant, dit-elle doucement.

Elle lui serra la main très fort.

— C'est dommage que tu n'aies pas eu l'occasion

de bavarder plus longtemps avec Julien, fit remarquer Alex. Il est très drôle. C'est le gars le plus rigolo que je connaisse.

— Depuis quand êtes-vous amis? demanda Maude.

Elle remonta son châle sur ses épaules, mais ce n'était guère suffisant par un tel froid.

«Je trouverai bien un moyen de la réchauffer», pensa Alex.

«C'est étrange», se dit-il. Il marchait à côté de Maude, discutant à propos de Julien, et tout ce qu'il souhaitait, c'était de se retrouver seul avec elle. C'était toujours la même chose quand il sortait avec une fille. Tandis qu'ils parlaient de tout et de rien, il s'imaginait se blottissant contre elle, la caressant... Il se demanda si c'était la même chose pour Maude. Il espérait que oui.

— Nous avons marché neuf kilomètres. Où est la voiture? demanda-t-elle.

— Ici, répondit Alex.

Il s'arrêta, bouche bée.

— *Oh non!* s'écria-t-il.

Il secoua la tête.

Non. Ce n'est pas vrai.

On avait crevé les quatre pneus de la Mustang. Il y avait tellement d'entailles que des morceaux de caoutchouc s'étaient détachés des pneus.

Maude fixa la voiture du regard. Puis, elle se mit à crier et enfouit sa tête au creux de l'épaule d'Alex.

— Oh mon Dieu! Alex! dit-elle, la voix tremblante. C'est de plus en plus terrifiant!

CHAPITRE 11

— Je... je ne peux pas regarder, sanglota Maude. C'est tellement... ignoble.

Alex avait été si ahuri de voir les pneus crevés qu'il n'avait pas remarqué que le pare-brise et les vitres avaient été cassés. Des éclats de verre brisé jonchaient le sol de chaque côté de la voiture.

Ignoble était certes le qualificatif approprié.

Alex frissonna. Il jeta un coup d'oeil dans le stationnement. Les quelques véhicules qu'il restait s'éloignaient. La personne qui avait endommagé sa voiture était-elle cachée quelque part, tout près, observant avec satisfaction la mine déconfite d'Alex?

— Il faut *vraiment* détester quelqu'un pour poser un geste pareil... fit remarquer Maude.

Elle ne se rendait pas compte que ses paroles ne faisaient qu'intensifier la peur d'Alex.

— Je te raccompagne chez toi. Je m'occuperai de la voiture plus tard, dit-il en l'entourant de son bras.

Même blotti contre Maude, il frissonnait. Il tenta de maîtriser ses tremblements mais y renonça, constatant qu'il frissonnait de peur, et non de froid.

Alex entendit du bruit du côté des buissons. Il regarda attentivement dans cette direction. Y avait-il quelqu'un qui l'observait, épiant chacun de ses gestes?

Tandis qu'il fixait les arbustes immobiles, on posa une main sur son épaule.

Il pivota, la gorge serrée. Il avait du mal à respirer.

— Julien! réussit-il à prononcer.

— Je ne t'ai pas fait peur, j'espère? demanda Julien.

Félicia, qui se tenait à ses côtés, gloussa. Elle louchait toujours.

Puis, ils aperçurent la Mustang.

— Oh, mon pauvre vieux! dit Julien. C'est terrible.

Il demeura silencieux durant quelques secondes, l'air songeur.

Alex savait que Julien était au courant de tout concernant l'accident de l'année précédente. Le fait de voir la voiture d'Alex en piteux état lui rappelait peut-être de mauvais souvenirs. Mais, bien entendu, Julien ne laissa rien paraître.

— Crois-tu qu'O'Brien et Maltais ont quelque chose à voir là-dedans? demanda-t-il. Ces idiots feraient n'importe quoi pour...

— Non, répondit Alex d'une voix calme, espérant que ses amis ne remarqueraient pas qu'il tremblait comme une feuille. Ce ne sont pas eux. Ils m'ont présenté des excuses tout à l'heure. Vincent leur a expliqué que ce n'était qu'un accident.

— Ils t'ont présenté des excuses? C'est vraiment une étrange soirée.

— Nous pourrions vous reconduire tous les deux chez vous, proposa Félicia.

— Oui, approuva Alex rapidement.

Il avait besoin de s'asseoir, de s'éloigner du stationnement obscur et de sa voiture abîmée.

— Bonne idée, ajouta-t-il.

— Bonne idée, répéta Julien, l'esprit ailleurs.

— Non! s'écria soudain Maude. Non! dit-elle de nouveau, d'une voix si forte qu'ils sursautèrent tous. Ça ira, vraiment. Je vais rentrer en autobus.

Elle se mit à courir en direction de l'arrêt, faisant signe au chauffeur de l'attendre.

— Hé, Maude! cria Alex.

— Je te téléphone. Au revoir! cria-t-elle.

Elle courait à toutes jambes dans le stationnement.

— Non, attends!

Alex courut derrière elle. Mais elle monta dans l'autobus et celui-ci se mit à rouler. Elle était debout dans l'allée, bien qu'il n'y eût aucun autre passager. Alex regarda l'autobus s'éloigner jusqu'à ce qu'il eut disparu dans le noir.

— C'est étrange, dit Alex en haussant les épaules tandis qu'il retrouvait Julien et Félicia. Elle était terrifiée de voir... ça.

Il fit un geste pour désigner la voiture.

— Je suppose qu'elle ne pouvait supporter de la regarder plus longtemps.

— Ouais, s'empressa d'approuver Julien.

«Pourquoi Maude s'est-elle enfuie comme ça?», se demanda Alex. Elle avait semblé encore plus effrayée et inquiète que lui. Alors pourquoi n'avait-elle pas accepté de rentrer chez elle en voiture, en compagnie de ses amis?

Les trois copains traversèrent le stationnement, se

dirigeant vers la voiture de monsieur Lemaire.

— Qui aurait pu te faire un coup pareil, Alex? demanda Félicia, les mains enfouies dans les poches de son large manteau.

— Un des trois cents élèves qui en veulent à Alex, plaisanta Julien, refusant d'être sérieux malgré les coups de coude et les regards indignés de Félicia.

— Mais Vincent a expliqué à O'Brien et à Maltais que... commença Alex d'une voix gémissante.

Il tremblait maintenant sans arrêt.

— Mais il ne l'a pas dit à toute l'école! fit remarquer Julien en démarrant.

— Il ne s'agit pas d'une simple blague, dit Félicia sur un ton sérieux.

Félicia raffolait des sciences. Elle analysait chaque problème, chaque situation de la vie courante avec la rigueur des scientifiques.

— Je dirais plutôt qu'il s'agit de l'oeuvre d'un fou!

— Félicia, arrête! dit Julien d'un ton brusque.

Un fou?

Elle avait dit un fou? Les mots résonnaient dans la tête d'Alex.

Donald.

Donald était fou.

Du moins, il était dans un endroit pour les fous.

Mais, petit détail, il s'était sauvé.

Est-ce que son propre frère pouvait être là, tout près, complotant contre lui?

Non. Pas Donald.

Pourquoi une telle pensée l'avait-elle seulement effleuré?

— Je ne sais vraiment plus quoi penser, admit

Alex.

— Reste calme, lui conseilla Julien. Je te raccompagne chez toi et tu téléphones à ton père. Au moins, *toi*, quand tu appelles la police, tu peux être certain qu'ils accourent!

— Pourquoi dis-tu ça? demanda Félicia.

Félicia venait tout juste de commencer à la polyvalente; Julien lui expliqua donc que le père d'Alex était policier.

Pendant ce temps, Alex ne cessait de penser à Donald. Il avait demandé à son père si Donald était dangereux. Son père ne lui avait pas répondu.

Si seulement il avait pu se rappeler... l'accident... la fille...

Mais il en était incapable.

Tout ce dont il parvenait à se souvenir, c'était de la lumière des phares, d'un bruit de freins, d'un cri. Un cri de douleur...

C'était déjà plus qu'avant, mais c'était quand même peu.

Un an après l'accident, il était là, tremblant de peur, se demandant si Donald, son meilleur ami, son idole, avait quelque raison de lui en vouloir et de l'attaquer.

C'était tout à fait insensé.

— Nous y voilà, annonça Julien, tirant Alex de ses sombres pensées. Hé, tu es arrivé chez toi.

Alex secoua la tête.

— Désolé.

— Tu veux qu'on entre avec toi? demanda Félicia.

— Non, répondit Alex rapidement. Non, ça ira. Vraiment.

Vraiment? se demanda Alex. Quelqu'un était-il

caché dans les buissons, attendant qu'Alex descende de la voiture pour le surprendre par derrière?

«Assez! se dit-il. Ça suffit.»

— Merci de m'avoir raccompagné, dit-il d'une voix chevrotante.

Il savait que tout irait bien une fois à l'intérieur.

— Ça ira. Je te téléphone demain, Julien.

— D'accord, répondit Julien en bâillant. Si je peux faire quoi que ce soit pour t'aider...

— Merci, dit Alex en descendant de la voiture.

Il aurait voulu courir vers la maison aussi vite que possible. Mais il marcha lentement jusqu'à la porte, se retourna et fit un signe de la main à ses amis qui s'éloignaient. Il déverrouilla la porte d'une main tremblante et s'engouffra à l'intérieur.

Il laissa tomber son blouson par terre et se rendit directement à la salle de bains, où il vomit à plusieurs reprises. Il s'aspergea ensuite le visage d'eau froide. Il ne tremblait plus et se sentait un peu mieux. Fatigué, mais mieux.

Il entra dans la cuisine et alluma la lumière. Simon était venu et reparti. Il y avait des morceaux de salami et de fromage suisse sur la table, ainsi qu'un verre de cola à moitié vide et une assiette dans laquelle il restait quelques croûtes de pain et des croustilles.

Alex fronça les sourcils devant le tableau. Soudain, il se sentit étourdi. C'était probablement dû aux violents efforts qu'il avait faits pour vomir. Il s'assit sur une des chaises de la cuisine et attendit que le vertige passe. Il avait un goût acide dans la bouche. Il crut qu'il allait être malade de nouveau.

Il décrocha le récepteur du téléphone, espérant

que son père pourrait rentrer immédiatement. Il serait probablement en colère à propos de la voiture mais, malgré tout, Alex avait envie qu'il soit là.

Il n'y avait pas de tonalité.

Seulement le silence.

Quelqu'un avait-il coupé la ligne?

«C'est assez, Alex, se dit-il. Tu deviens paranoïaque! Arrête ça tout de suite.»

Toujours rien. Pas de tonalité.

— Allô, dit-il au silence.

— Allô, Alex? répondit une voix.

Il y avait quelqu'un au bout du fil.

— Oui?

— Alex, je briserai tous les os de ton corps. Tous tes os craqueront et se casseront.

La voix était criarde et haineuse.

— Sonia, ne sais-tu pas que...

Mais il prit soudain conscience que ce n'était pas Sonia. Ce n'était pas sa voix. Ça ne pouvait tout simplement pas être sa voix.

— Tu vas mourir, Alex, continua la voix sur un ton menaçant. Mais d'abord, tu souffriras. Bientôt. Je te le promets. Tes os se briseront en mille miettes, comme ta voiture, et puis tu mourras.

Elle raccrocha.

Elle savait à propos de la voiture. Cette personne avait vu les pneus crevés et les éclats de verre. Et ce n'était pas Sonia. Il en était maintenant certain.

La voix lui était pourtant familière. Avait-il entendu cette voix dans son enfance? Ou dans un passé récent dont il n'arrivait pas à se souvenir?

Alex avait recommencé à trembler. Il savait qu'il allait vomir une nouvelle fois.

Il composa le numéro du poste de police, un numéro spécial que seuls les proches des policiers connaissaient. Quelques secondes plus tard, son père était au bout du fil.

— Papa, c'est Alex. Je crois que tu ferais mieux de rentrer à la maison...

Le père d'Alex sembla sur le point d'exploser quand son fils lui apprit ce qui s'était passé. Mais voyant Alex pâle et tremblant, il refoula sa colère et adopta une attitude professionnelle.

— Il n'y a probablement pas d'empreintes, mais j'enverrai quelqu'un vérifier demain matin, déclara-t-il.

Alex était soulagé que son père ait décidé de jouer le rôle du policier plutôt que celui du parent outragé. Il était parfois étonné de constater à quel point son père, un homme pourtant assez bourru, le ménageait. Mais n'était-ce pas ce qu'il avait fait depuis un an, pesant chaque mot, s'efforçant de ne rien dire qui aurait pu perturber la mémoire de son fils? «Pas étonnant qu'il ait l'air si vieux, pensa Alex. Pas étonnant qu'il passe le moins de temps possible à la maison.» La présence d'Alex le mettait à rude épreuve.

— C'est peut-être quelqu'un de l'équipe de football, dit Alex, tremblant.

— Mmmmm, fit son père d'un air pensif. Nous reparlerons de tout ça demain matin. Je crois que tu as eu assez d'émotions pour aujourd'hui. Nous ferons remorquer la voiture au garage Doucet et demanderons un devis. Ensuite, nous pourrons parler. D'accord?

Alex sourit.

— D'accord.

Il se dirigea vers l'escalier qui menait à sa chambre.

Le téléphone sonna.

— Papa, est-ce que tu pourrais répondre? Je reçois des appels bizarres depuis quelque temps.

— Ça ne m'étonne pas, avec les amis que tu as, dit son père pour le taquiner.

Il décrocha le téléphone de la cuisine.

— Allô? dit-il sur un ton ennuyé. Oui. Oui, il est ici.

Son père lui tendit le récepteur.

— Une certaine Maude, dit-il. Elle prétend qu'elle est sortie avec toi ce soir. Elle ne me semble pas trop bizarre.

— Je prends l'appel dans ma chambre. Bonsoir, papa. Et merci.

Il avait les jambes molles en montant l'escalier. Il saisit le téléphone et l'apporta sur le lit.

— Allô?

— Je suis insultée, dit Maude sur un ton mielleux.

— Pourquoi?

— Ton père a dit que je n'étais pas bizarre.

— C'est parce qu'il ne t'a jamais rencontrée, fit remarquer Alex.

Ils se mirent à rire.

— Je suis désolée de m'être enfuie comme ça tout à l'heure, dit Maude. Mais il fallait que je parte. C'était si... affreux.

— Ouais, dit Alex.

— J'ai passé une belle soirée. Je me suis bien amusée avec toi.

— Moi aussi, affirma Alex.

Il n'avait qu'une envie, dormir.

— Est-ce que ton père était furieux à propos de la voiture?

— Tu parles. Mais étant policier, il a mis de côté les sermons et a commencé l'enquête, dit Alex.

— On se voit demain? demanda Maude. Je n'ai pas eu la chance de t'embrasser avant qu'on se quitte.

Elle gloussa. Se moquait-elle de lui?

Il porta la main à sa lèvre, qui était toujours enflée et douloureuse.

— Demain, c'est lundi.

— Oui, mais c'est congé, dit-elle rapidement. Journée pédagogique. Allez. On se voit dans l'après-midi? Rendez-vous au petit restaurant près de l'école. Tu sais, celui avec l'auvent rayé et le gros cornet de crème glacée dans la vitrine?

— Chez Phil?

— Oui. C'est ça. Rendez-vous à quinze heures. Je voudrais vraiment te parler.

— Bon, d'accord, répondit Alex.

Il n'en revenait pas. Une fille le suppliait de sortir avec elle!

— Bonne nuit, Alex, murmura-t-elle. Tu sais, je crois que très bientôt, nous nous amuserons follement tous les deux.

Et elle raccrocha avant qu'il n'ait pu ajouter un mot.

— Il paraît que tu as amoché la voiture?

C'est ainsi que Simon accueillit son frère le lendemain matin, au petit déjeuner.

— Tais-toi, Simon, dit le lieutenant Hardy, debout devant la cuisinière et agitant un poêlon d'oeufs brouillés.

— Tu te lèves tôt, fit remarquer Alex à son frère qui était assis à la table de la cuisine.

— Je me suis trompé, grogna Simon. J'avais oublié qu'il n'y avait pas d'école.

— Il retournera probablement au lit dès qu'il aura mangé, dit leur père.

— Comment as-tu deviné? demanda Simon.

Le petit déjeuner se déroula sans que le sujet de la voiture ne soit abordé. Après le repas, le lieutenant Hardy tendit une grande enveloppe à Alex.

— Les formules d'assurances, dit-il. Je voudrais que tu ailles les porter chez le courtier. Ce matin, d'accord?

— Tu ne veux pas que j'aille voir la voiture avec toi?

— Non. Je crois que je sais comment examiner une voiture. Occupe-toi des formules. Je te téléphonerai plus tard aujourd'hui pour voir comment ça va.

Il regarda Alex droit dans les yeux. Puis, il se détourna.

Alex se dirigea vers l'escalier.

— Hé, papa?

— Oui?

— Tu ne penses pas que... Donald... euh...

— Donald? Endommager la voiture?

Le lieutenant Hardy ne sembla pas surpris de la suggestion d'Alex.

— Alex, qu'est-ce qui te fait dire ça?

— Je ne sais pas.

— Ah. J'ai cru...

Il s'arrêta net. Après tout ce temps, Alex se rendait maintenant compte à quel point son père mesurait ses paroles quand il s'adressait à lui.

Comme s'il avait été aussi un handicapé mental.

Après s'être habillé, Alex sortit et monta dans l'autobus qui se dirigeait vers le centre-ville.

Une fois à destination, il marchait sur le trottoir, les mains dans les poches, lorsqu'il heurta quelqu'un.

— Aïe! Hé, Alex! Tu ne regardes pas où tu mets les pieds?

— Martine! Je n'arrive pas à le croire!

Martine Émond lui sourit. Elle n'avait pas changé, sauf que ses cheveux étaient un peu plus courts. Son sourire s'effaça rapidement.

— Tu as une mine affreuse!

— Un accident, expliqua-t-il.

Elle sembla sursauter à ce mot. Bien sûr, elle était au courant de la tragédie de l'année précédente. Tout le monde était au courant. Tout le monde, sauf Alex.

— Je me suis bagarré.

— Ce n'est pourtant pas ton genre, fit-elle remarquer, souriant de nouveau. Comment vont les choses à la polyvalente? Est-ce que je vous manque?

— On ne parle que de toi, dit Alex. L'école n'est plus la même sans toi. Tout tombe en ruines. Les murs s'écroulent.

— À ma nouvelle école, j'apprends à me donner de grands airs. On nous montre à parler sans bouger la mâchoire.

— Tu as toujours été un peu prétentieuse, avoue-le, Martine.

Elle leva le nez en l'air.

— Prétentieuse, moi?

— Écoute, dit-il, se rappelant soudain qu'il voulait la remercier. Maude est formidable.

— Quoi?

— Maude est vraiment fantastique, répéta-t-il.

— Je suis bien contente de t'entendre dire ça.

Sa voix était teintée de sarcasme.

— Veux-tu bien me dire qui est Maude?

— Allez, Martine, tu le sais bien. C'est la fille à qui tu as dit de me téléphoner. Le rendez-vous surprise, tu te souviens? C'était vraiment gentil de ta part. J'ai essayé de t'appeler, mais tu n'étais pas chez toi.

— Maude? Maude qui?

— Tu te moques de moi, n'est-ce pas?

— Je crois plutôt que quelqu'un s'est payé ta tête. Mais ce n'est pas moi!

— Tu ne connais pas Maude Laurin?

Elle secoua la tête.

— Pas du tout.

— Tu n'as pas organisé de rendez-vous pour moi?

— Mais non!

Alex était hébété.

— Je suis heureuse que tu la trouves de ton goût, cependant, dit Martine. Elle a prétendu que je lui avais dit de te téléphoner?

— Je le crois bien... répondit Alex, s'efforçant de se rappeler sa première conversation avec Maude. J'étais pourtant certain que...

Cette histoire était des plus étranges. À plusieurs reprises, Maude avait mentionné le nom de Martine.

— De toute façon, j'ai été ravi de te revoir, Martine.

— Ça m'a fait plaisir aussi, Alex.

— Salut!

Elle lui fit un petit signe de tête et partit dans l'autre direction.

Alex était content de rencontrer Maude dans quelques heures. Il la confronterait à ce que lui avait affirmé Martine. Il lui fallait découvrir ce qu'il y avait là-dessous.

De plus, il décida que la vérité était enfouie au fond de sa mémoire depuis trop longtemps. C'en était assez. Il allait faire face à la vérité, quelle que soit la douleur que cela lui causerait, quel que soit le danger auquel il s'exposerait.

Il attendit durant une heure et demie chez Phil, mais Maude ne vint pas.

CHAPITRE 12

Le téléphone sonnait quand il entra chez lui.

— Bonjour, Alex. Je suis désolée. Je n'ai pas pu aller à notre rendez-vous.

— Maude, j'ai essayé de te joindre. Mais le téléphoniste des renseignements n'a pas trouvé ton numéro. Il n'y avait même aucune inscription au nom de Laurin.

Il y eut un bref silence.

— L'inscription a dû être faite au nom de ma mère, dit-elle d'un ton peu convaincant.

Ou peut-être Alex avait-il des soupçons à l'égard de tout le monde?

— Son nom de jeune fille est Jacob. Elle n'utilise pas toujours le nom de mon père.

— Ah. Je vois. Où étais-tu? Je voulais te parler.

— Moi aussi.

Il n'y avait plus rien de *sexy* dans sa voix. Elle semblait nerveuse, inquiète.

— J'aurais vraiment voulu... Écoute, on se voit ce soir?

— Je ne sais pas. Je n'ai pas de voiture. Mon père n'aime pas que...

— Je peux avoir la voiture, dit-elle rapidement.

Je passe te prendre à dix-neuf heures trente, d'accord? On pourra faire une balade, tu sais, comme dans les films.

Il rit.

— Je sais ce que tu as en tête, dit-il. Je te connais.

— Ah oui? dit-elle, retrouvant sa voix mielleuse.

Après tout, qu'est-ce que ça pouvait bien faire que Martine n'ait pas organisé leur rencontre? Maude était formidable. En fait, elle était le seul rayon de soleil dans sa vie, depuis quelque temps.

— Alors, ça ira pour dix-neuf heures trente?

— Parfait, dit-il.

Lorsqu'il raccrocha, il avait un large sourire sur les lèvres.

— Je ne sais pas ce qui te fait sourire, dit le lieutenant Hardy en entrant dans la cuisine.

Il plongea la main dans le sac de biscuits et, la bouche pleine, marmonna quelque chose.

— Mmmmph mmmph mmmp mmmmmph.

— Quoi? demanda Alex.

Son père avala.

— Les réparations de la voiture coûteront six cents dollars.

— Tu veux d'autres biscuits? lui demanda Alex.

Ils s'assirent à la table de la cuisine et eurent une longue conversation. Alex lui raconta tout ce qui lui était arrivé depuis que Vincent s'était cassé la jambe : les menaces, les coups de téléphone, la peinture dans son casier, la bagarre sur le terrain de basket, tout.

Tout sauf l'arrivée de Maude dans sa vie. Il ne voulait pas lui parler d'elle en même temps que de toutes ses horreurs. Il avait besoin de garder ça pour lui.

— Qui est cette fille qui a téléphoné hier soir? Maude? demanda son père.

Le lieutenant Hardy n'était pas un mauvais policier. Il ne laissait jamais aucun détail lui échapper.

Alex sourit.

— Elle est nouvelle. Sa famille vient tout juste d'arriver. Elle fréquente la polyvalente. Nous... Elle est gentille. Je l'aime bien.

— Tu vas la revoir?

— Oui, ce soir.

Le lieutenant Hardy fronça les sourcils.

— Tu ne devrais peut-être pas sortir le soir, du moins, pas tant que nous n'aurons pas découvert qui est l'auteur de toutes ces menaces.

Alex se renfrogna à l'idée de ne pouvoir sortir avec Maude.

— Nous nous contenterons de faire une balade en voiture. Nous n'irons nulle part, dit Alex d'une voix plaintive.

— Une balade, hein?

Son père se mit à rire et se leva.

— Je ne sais pas. Tu peux t'attirer un tas d'ennuis sans même descendre de la voiture, tu sais...

Il rit de nouveau.

Alex se sentit rougir. Il était toujours mal à l'aise lorsque son père faisait allusion à la sexualité.

— Je dois me rendre au poste, dit le lieutenant Hardy en cherchant sa casquette. Nous avons un sérieux problème, Alex. C'est maintenant plus grave que de simples blagues d'adolescent. Je ne sais pas à quel point il faut prendre au sérieux les menaces de mort de cette fille au téléphone, mais on ne sait jamais. Il faudrait être prudent jusqu'à ce que nous coincions cette ou ces personnes.

Il trouva sa casquette et la posa sur son crâne dégarni.

— Je sais que tu ne seras pas content de ma décision, mais je dois faire participer l'école à cette enquête.

— Papa...

Alex s'arrêta avant même d'avoir protesté. Il savait qu'il ne réussirait jamais à faire changer son père d'avis. De toute façon, celui-ci avait raison. Alex en avait assez de la peur et des menaces. Il était heureux que son père s'occupe de cette histoire. Il fit un signe affirmatif et n'ajouta rien.

Le lieutenant Hardy posa une main sur l'épaule de son fils et se dirigea vers la porte.

— Sois prudent.

— Oui, bien sûr, papa. Merci.

— Tu m'appelles au moindre pépin, d'accord?

— Oui, d'accord.

La porte se referma. Alex demeura assis à la table de la cuisine. Il était soulagé. Il se sentait en sécurité maintenant qu'il avait tout avoué à son père.

Cela dura près d'une minute.

Puis, le téléphone sonna.

Le sang d'Alex ne fit qu'un tour.

Il laissa sonner. Trois coups, quatre coups.

Il se mit à trembler.

C'était ridicule!

Il devait répondre. Il ne pouvait pas vivre comme ça, dans la terreur du téléphone.

Il décrocha le récepteur et le porta lentement à son oreille.

— Allô?

Il y avait beaucoup de bruit à l'autre bout du fil, comme si la personne appelait d'une cabine téléphonique située au coin d'une rue passante.

— Allô? répéta Alex.

— Alex...

Il reconnut la voix immédiatement, et ce, malgré le fait qu'il ne l'avait pas entendue depuis plus d'un an.

— Alex, c'est Donald.

— Donald?

La voix d'Alex était faible. Sa main tremblait à un point tel qu'il avait peine à tenir le récepteur.

— Alex, fais attention. J'arrive.

Clic.

Que s'était-il passé?

Oh non!

Il avait raccroché sans s'en apercevoir.

Le coeur battant, Alex s'assit et fixa le téléphone, attendant que Donald rappelle.

Mais Donald ne rappela pas.

Ces mots, les mots que son frère avaient prononcés, se voulaient-ils rassurants?

«Fais attention. J'arrive.»

Pourquoi Alex avait-il l'impression qu'il s'agissait plutôt d'une menace?

CHAPITRE 13

À dix-neuf heures trente, Alex était debout devant la fenêtre, attendant Maude et pensant à Donald. Maude arriva quelques minutes plus tard et klaxonna. Alex écarquilla les yeux en voyant la voiture qu'elle conduisait. C'était une Pontiac Firebird neuve.

Il courut à l'extérieur, faisant claquer la porte derrière lui. Maude ouvrit la portière de l'auto et la lumière s'alluma à l'intérieur. La voiture était noire tandis que l'intérieur était rouge vif.

— Eh bien, je suis très impressionné, dit-il en s'assoyant sur le siège baquet de cuir rouge.

— Il n'en faut pas beaucoup pour t'impressionner... dit-elle en lui saisissant le bras.

Puis, elle posa sa main sur celle d'Alex.

— J'espère que tu ne passeras pas la soirée à parler de la voiture. Tu ne m'as même pas encore regardée. Je suis déjà jalouse.

Alex la regarda. Elle portait des jeans et un poncho de laine à franges comme ceux des années soixante.

— J'aime bien ton... euh, ton truc, dit-il en tirant sur un bout de frange.

— Vraiment? C'est moi qui l'ai fait.

Elle sourit, ravie du compliment.

— Il a dû en falloir du temps, dit-il.

— J'avais *beaucoup* de temps libre, dit-elle, son sourire s'effaçant.

— Mais où donc as-tu déniché cette bagnole?

Elle démarra.

— Écoute, je suis vraiment désolée à propos de cet après-midi. J'espère que tu ne m'as pas attendue trop longtemps.

— Oh non. Seulement une heure et demie, dit-il, un soupçon de colère dans la voix.

— Je suis si mal à l'aise.

Elle lui adressa un large sourire et posa sa main juste au-dessus du genou d'Alex.

— Je pourrais peut-être me faire pardonner?

Il sourit.

— Peut-être bien.

— J'étais déjà en route pour aller te rejoindre mais... C'est une longue histoire. Où veux-tu que nous allions?

— Je ne sais pas. Nous n'avons pas beaucoup le choix, n'est-ce pas? La montagne ou le centre-ville.

— Allons d'abord au centre-ville, puis nous reviendrons par la montagne, proposa-t-elle.

— D'accord.

Alex se cala dans son siège. Le cuir était doux et froid.

— Raconte-moi cette longue histoire, dit-il.

Elle fronça les sourcils et se mordit la lèvre inférieure. Avec ses cheveux blonds libres sur ses épaules et son poncho de laine démodé, elle semblait vraiment venir d'une autre époque. «Il y a quelque chose de triste en elle», pensa Alex.

— Je ne veux pas, dit-elle, un peu ennuyée.

— Je t'y forcerai, la taquina-t-il.

— Et comment t'y prendras-tu?

— Je te chatouillerai.

Elle sourit.

— Je ne suis pas chatouilleuse.

— Tout le monde l'est, quelque part, dit-il.

— Pas moi, rétorqua-t-elle en souriant. Ohhhh!

Elle donna un coup de volant. La voiture heurta quelque chose et se dirigea vers le fossé. Maude donna un second coup de volant et ramena la voiture sur la route.

— C'était un animal, dit-elle. Il est passé sous les roues. Beurk!

Le coeur d'Alex battait la chamade.

— Ça va? demanda-t-il à Maude.

— Oui, je crois. Est-ce que tu as vu ce que c'était?

— Non, mais on aurait dit un éléphant, répondit-il. Si tu es fatiguée, je peux conduire.

— Non, protesta-t-elle rapidement. Non, vraiment. J'aime conduire. Je voudrais qu'on reste dans la voiture et qu'on bavarde. Je... Je te dirai peut-être pourquoi je n'ai pas pu te rencontrer cet après-midi. Je ne sais pas. Je n'arrive pas à me décider.

— Ça me paraît sérieux, fit remarquer Alex. Hé, ralentis.

— Oh, désolée.

Elle sembla soudain très nerveuse. Elle jeta un coup d'oeil dans le rétroviseur. Personne ne les suivait.

— Tu dois trouver que j'ai un comportement un peu... étrange depuis quelque temps, commença-t-elle. Eh bien, je sais que tu ne me connais pas beaucoup et que tu penses que je suis tout simplement une fille bizarre mais...

— C'est ça. C'est exactement ce que je pense, dit Alex.

Il avait voulu plaisanter, mais Maude prit sa remarque au sérieux.

— Je ne te blâme pas. Mais tu vois, il y a une raison qui me pousse à agir ainsi. Je ne voulais pas t'en parler. Tu as déjà assez d'ennuis comme ça. Je ne sais pas si je peux me permettre d'aller plus loin. Toutefois, je ne veux pas non plus que tu me prennes pour une cinglée.

Elle demeura silencieuse durant quelques instants. La voiture s'immobilisa à un feu rouge au bas de la colline. Il n'y avait aucun autre véhicule en vue, mais elle attendit que le feu passe au vert. Elle démarra alors lentement. La route était maintenant droite et plane. Le paysage montagneux avait fait place aux maisons de banlieue.

— Je me rends bien compte que tu me croiras encore plus folle lorsque je t'aurai confié mon secret...

— Qu'est-ce que c'est? demanda Alex avec impatience.

Il regretta immédiatement de l'avoir brusquée. Il voyait bien qu'elle était bouleversée et qu'elle avait du mal à trouver les mots.

— Je crois que quelqu'un me suit. En fait, j'en suis certaine.

Ils tournèrent au coin d'une rue et passèrent devant l'école primaire.

— Pourquoi? demanda Alex. Qui voudrait te suivre?

— J'ignore pourquoi, répondit-elle. Par contre, je pense que je sais de qui il s'agit.

— Vas-y, dis-le. Qui est-ce?

Elle tourna la tête et le regarda dans les yeux.

— Donald. Ton frère Donald.

La voiture faillit heurter une automobile qui était stationnée le long du trottoir.

— Maude! Attention! s'écria Alex.

— Désolée.

— Pourquoi mon frère te suivrait-il? demanda Alex.

Tandis qu'il posait la question à Maude, la voix de Donald résonna dans sa tête.

Fais attention. J'arrive.

— Je te l'ai dit. Je ne sais pas pourquoi! dit-elle d'une voix perçante.

Fais attention. J'arrive.

Mais pourquoi diable Donald suivrait-il Maude? Leur en voulait-il à tous les deux?

— Tout ça est vraiment curieux, dit Alex.

— Je savais bien que tu me prendrais pour une folle, dit Maude sur un ton découragé.

Elle tourna dans la rue des Sycomores.

— Je ne te prends pas pour une folle, déclara-t-il. C'est le monde qui est fou. Donald m'a téléphoné tout à l'heure et m'a dit...

Il s'arrêta soudain.

— Hé, comment se fait-il que tu connaisses mon frère Donald?

La question sembla la troubler. Elle regardait fixement en avant d'elle, plissant les yeux tandis qu'ils croisaient une voiture aux phares aveuglants.

— Je n'ai pas dit que je connaissais ton frère...

répondit-elle enfin. J'ai seulement dit qu'il me suivait. Du moins, je le crois.

Alex n'était pas satisfait des explications de Maude. Il s'apprêtait à l'interroger de nouveau lorsqu'il constata qu'ils passaient devant la maison de la rue des Sycomores. La maison qu'il avait cru être celle de Maude. La maison de Marilou.

Maude avait-elle ralenti délibérément?

Non.

C'était impossible.

Alors pourquoi donc conduisait-elle si lentement? Et pourquoi ce sourire étrange et distant sur son visage?

Il regarda la maison. Tout était noir et désert. Cependant, Alex savait que le vieux couple se trouvait à l'intérieur. Il revit l'expression d'horreur sur leur visage lorsqu'ils l'avaient reconnu.

— Oh...

— Alex, tu es tout pâle. Qu'est-ce qui t'arrive?

Se payait-elle sa tête? Était-elle cynique?

Non.

«Ça suffit, Alex», se dit-il.

Il se méfiait maintenant de tout le monde. Il ne pouvait continuer ainsi. Il ne *pouvait* pas.

Maude tourna au coin de rue suivant. La polyvalente était à quelques pâtés de maisons de là.

— Rien, répondit-il. Ça va.

Pourquoi Maude avait-elle passé dans la rue des Sycomores?

— C'est pour cette raison que je suis disparue durant quelques minutes dimanche soir, à la danse. J'avais cru voir Donald dans le gymnase.

— Mais c'est impossible! cria Alex.

Puis, il se rendit compte que cela n'avait rien d'impossible.

— Plus tard, je croyais qu'il nous observait dans le stationnement. Voilà pourquoi je me suis enfuie.

— Tu l'as vu là-bas? Tu en es certaine? demanda Alex, refusant de croire à cette histoire.

— En fait, je n'ai vu que son ombre.

Un violent frisson la parcourut.

— Cet après-midi, tandis que je marchais au centre-ville pour aller te rejoindre, j'ai encore aperçu son ombre, continua Maude. Je me suis retournée, mais il n'y avait personne. Il ne voulait pas que je le vois. Mais je savais qu'il était là. J'en étais persuadée.

Elle mordit nerveusement ses lèvres cramoisies.

— Tu t'es vraiment rendue chez Phil?

— Je suis demeurée à l'extérieur. Il était juste derrière moi. J'ai couru. Je suis montée dans la voiture. Il fallait que je me sauve. J'étais si effrayée...

De nouveau, elle fut prise de violents frissons. Alex posa une main sur son épaule afin de la réconforter.

— Parlons d'autre chose, suggéra-t-il doucement. Si nous allions dans la montagne? On pourrait s'arrêter et bavarder.

— Bavarder?

Elle lui sourit timidement.

— Oui, bavarder, répondit-il. Pour un moment, du moins.

Il rit.

Cependant, il n'avait pas vraiment envie de rire. Ils roulèrent en silence jusque sur le chemin de la montagne.

Au bout d'un moment, le silence rendit Alex mal à l'aise.

En fait, *tout* le rendait mal à l'aise ce soir. Il s'efforça de trouver quelque chose à dire.

Il plissa les yeux. La voiture qui venait en sens inverse les aveuglait avec ses feux de route.

— J'ai rencontré Martine au centre-ville aujourd'hui. Elle prétend qu'elle ne te connaît pas, dit Alex.

Pourquoi avait-il dit cela? Il n'avait pourtant pas l'intention de le faire. Cherchant désespérément un sujet de conversation, il avait laissé échapper les mots.

— Hé! Maude! Non! Attention!

Elle donna un coup de volant qui projeta la voiture au beau milieu de la route, juste devant l'automobile qui se dirigeait vers eux...

CHAPITRE 14

Alex fut aveuglé par une éblouissante lumière blanche. Puis, il entendit un bruit de ferraille et de verre brisé.

Il sentit ensuite le choc.

Sous la force de l'impact, il fut projeté violemment contre la portière de la voiture. La lumière blanche devint noire, puis de nouveau blanche.

Il ressentit une vive douleur à la tempe. Il cria.

Il y eut ensuite un second choc. De nouveau, il heurta brutalement la portière. L'élancement qui lui traversait la tête s'intensifia.

Puis, Alex entendit des sanglots.

Il ouvrit les yeux. La lumière blanche l'aveuglait toujours. Pourrait-il revoir un jour? Ou serait-il ébloui à jamais par cette lumière?

Il essaya de parler, mais aucun son ne sortit. Il tenta de s'éclaircir la voix en toussant.

— Hé... parvint-il à prononcer.

Mais la douleur envahit tout son corps.

Sa tête élançait.

Il porta la main à sa tempe. Il saignait.

Soudain, il distingua des ombres. Il voyait de nouveau.

Il tenta de se pencher en avant, mais la douleur

était trop intense.

Alex s'aperçut que la voiture était inclinée. Les phares du véhicule avec lequel ils étaient entrés en collision éclairaient la banquette avant.

Il regarda la fille. Elle était penchée en avant dans une position étrange. Il suffoqua. La tête de la fille était passée à travers le pare-brise.

Il prononça son nom.

— Marilou.

Il lui tira le bras et dégagea sa tête.

Les grands yeux de la fille le fixèrent sans le voir et sa bouche s'ouvrit mollement.

Elle était morte.

— *Non! Non! Non!*

Marilou était morte.

Donald. Et Donald?

— Donald? cria Alex.

— Quoi?

Il se pencha au-dessus de la fille et vit son frère.

Celui-ci secoua la tête.

Il était vivant.

La vitre du côté droit de la voiture était baissée. Donald passa la tête à l'extérieur, à la recherche d'un peu d'air frais.

Donald était en vie.

— Donald, dit Alex, tandis que le sang lui coulait dans le cou.

— Oui, je suis là.

— Marilou... commença Alex.

Donald ne savait pas encore. Il ignorait que sa petite amie était morte. Seul Alex savait.

Alex s'agrippa au volant.

— Marilou, prononça Donald.

— Elle est morte, annonça Alex.

— Non, dit Donald.

— Elle est morte, répéta Alex.

La lumière blanche apparut de nouveau dans les yeux d'Alex et il fut pris d'une nausée.

— Elle est morte. Et tout ça est ma faute.

— Ouf! Il s'en est fallu de peu! dit Maude.

Elle avait immobilisé la voiture sur l'accotement.

— Je ne sais pas ce qui s'est passé. Je crois que ma main a dû glisser sur le volant.

Alex attendit que son coeur batte moins vite et que la lumière blanche dans ses yeux se soit évanouie. Il était en sueur. Ses vêtements étaient trempés.

— Par chance, le conducteur de l'autre voiture a pu nous éviter. Sinon... dit Maude en secouant la tête. Est-ce que ça va?

Alex ne lui répondit pas.

Il avait tout revu en voyant les phares de l'autre véhicule se diriger vers eux.

Il avait retrouvé la mémoire.

Ces instants horribles avaient défilé devant lui.

— Alex, qu'est-ce qu'il y a? Est-ce que ça va?

La voix de Maude semblait venir de loin, de très loin.

C'était l'année dernière. Marilou, Donald et lui se baladaient en voiture. Il avait tout revu. Il se souvenait maintenant de tout.

Ils étaient entrés en collision avec une grosse Buick.

Donald était assommé, mais indemne.

Lui, Alex, avait été coupé à la tête, mais rien de

sérieux. Il s'en était sorti avec une commotion cérébrale.

Et Marilou. Marilou... était... morte.

— *Oh mon Dieu! Non!* hurla Alex à pleins poumons.

Maude cria à son tour, se pencha vers Alex et le saisit par les épaules.

— Alex, qu'est-ce qu'il y a? Qu'est-ce qu'il y a? Tout va bien. Nous n'avons pas eu d'accident!

Marilou était morte. Maintenant, il s'en souvenait parfaitement.

Il avait tout revu. Tout entendu. Tout senti. Senti le sang, le caoutchouc brûlé, l'horreur.

Marilou était morte. Et c'était sa faute.

Il revoyait l'accident si clairement dans sa tête qu'il ressenti même une douleur à la tempe.

Tout ça était sa faute. *Car c'était lui qui conduisait.*

Il se rendit soudain compte que Maude le secouait par les épaules.

— Alex, c'est fini. Tout va bien. Je t'en prie! Arrête, tu me fais peur!

— Maude... ça va... Lâche-moi.

Il se redressa sur le siège de la voiture. Il regarda autour de lui.

Il n'y avait personne aux alentours.

Le conducteur de l'autre voiture avait crié quelque chose à Maude et s'était éloigné en montrant le poing.

— Alex, tu m'as effrayée, dit Maude. Nous n'avons pas eu d'accident. Tu n'as aucune raison de te mettre dans un état pareil.

— Désolé, murmura-t-il.

Comment pouvait-il lui expliquer ce qui venait de lui arriver? Comment lui dire qu'un épisode terrifiant de sa vie venait de refaire surface? C'était impossible.

— Maude, un jour... dit-il.

Il s'efforça de ne pas adopter un ton trop dramatique.

— Un jour, je te raconterai ce qui vient de m'arriver. C'est une longue, très longue histoire. Une triste histoire. Maintenant, je crois que nous ferions mieux de rentrer. Je ne suis pas dans mon assiette ce soir.

— Tu veux que je te reconduise?

Elle fit la moue, mais ses yeux étaient remplis de sympathie. Elle sembla comprendre.

— D'accord, dit-elle doucement en lui tapotant la main. D'habitude, je suis vraiment une bonne conductrice. Je ne sais pas ce qui...

— Je ne peux rien te dire pour l'instant. Ce n'est pas ta faute.

Il se sentit soudain très las, trop las pour parler. Il enfouit son visage dans ses mains.

Ils roulèrent en silence durant quelques minutes.

Puis, Alex leva les yeux. Maude avait tourné dans la rue des Sycomores.

— Hé, Maude...

Ils passaient lentement devant la maison de Marilou.

Alex se souvenait maintenant très bien de la maison et des parents de Marilou. Il se rappelait avoir joué dans le sous-sol avec Marilou et Donald. En fait, quantité de souvenirs défilaient devant ses yeux.

— Quoi?

— Pourquoi sommes-nous... Qu'est-ce que nous faisons dans la rue des Sycomores?

Elle ne pouvait pas l'avoir fait exprès. C'était impossible.

— Je ne sais pas. Je passe toujours par ici. Quelle rue aurais-je dû choisir?

Elle semblait tout à fait innocente. Alex se sentit terriblement coupable de l'avoir soupçonnée.

Coupable.

C'était lui, le conducteur. Il avait tué Marilou.

Il avait tué la petite amie de Donald.

Pas étonnant que sa mémoire ait refusé de se rappeler durant une année entière.

Pas étonnant non plus que... Donald lui en veuille.

Fais attention. J'arrive.

— C'est plus rapide par la rue des Genévriers, dit-il d'un ton brusque.

Maude parut blessée.

— Désolée. Je ne m'étais pas rendu compte que tu avais si hâte de te débarrasser de moi.

Elle regardait droit devant elle.

— Ce n'est pas ce que j'ai voulu dire.

Ils n'échangèrent plus une parole.

De temps à autre, Alex levait la tête et regardait Maude. Elle était si jolie. Il était heureux d'avoir au moins une chose d'agréable dans sa vie.

Mais que signifiait cette expression sur son visage?

Pourquoi avait-elle ce sourire satisfait accroché à ses lèvres? Qu'est-ce qui lui faisait tant plaisir?

CHAPITRE 15

Alex monta tout droit à sa chambre et se coucha. Mais il fut incapable de s'endormir.

Il se souvenait parfaitement de cette soirée. Marilou, Donald et lui se trouvaient dans la salle de jeu chez Marilou. Donald était couché sur la table de billard et Marilou et lui devaient le contourner pour jouer. La mère de Marilou leur avait apporté de grands verres de thé glacé. Non, c'était plutôt de la limonade. Elle était amère, terriblement amère, et ils avaient bu leurs verres en grimaçant. Non, un instant... Donald avait plutôt vidé le sien dans le pot d'une plante. C'est ça.

Puis, l'un d'entre eux avait proposé de faire une balade en voiture. Qui était-ce? Donald? Non, Marilou. Elle n'aimait pas rester à la maison.

Ils étaient si heureux, si insouciants. Donald et Marilou ne semblaient jamais ennuyés par la présence d'Alex. Du moins, celui-ci n'avait jamais rien remarqué. Il avait toujours adoré suivre Donald et faire les même choses que lui.

Ils étaient donc allés faire une balade en voiture. Alex avait demandé s'il pouvait conduire. Il n'avait que quinze ans et n'avait donc pas l'âge légal. Donald, cependant, le laissait parfois tenir le volant, juste pour rire.

Juste pour rire.

Donald était descendu de la voiture. Marilou avait protesté. Il l'avait taquinée. Alex s'était installé derrière le volant et Donald avait pris la place de son jeune frère.

Donald avait pris la place d'Alex.

Donald avait été interné, mais pas Alex. C'était pourtant lui qui était le conducteur. Pourquoi ne l'avait-on pas interné, lui? Pourquoi était-ce Donald qu'on avait puni?

Étendu sur son lit, les yeux fixés au plafond, Alex constata qu'il y avait encore quelque chose qu'il ne se rappelait pas.

Était-ce la raison pour laquelle Donald lui en voulait? Parce qu'on l'avait puni à la place de son frère cadet?

Alex avait démarré. Il faisait noir dans la montagne et il roulait trop vite. Il n'avait pas la maîtrise de la voiture, mais il était trop effrayé pour l'avouer à Donald. Il n'aimait pas qu'on se moque de lui, surtout devant Marilou.

Puis il y avait eu la collision.

Et Marilou était morte.

Du sang partout.

Il avait saisi la tête de Marilou et avait vu ses yeux.

Ses yeux. Ils paraissaient si étonnés.

Puis il avait crié.

Ensuite...

Il manquait un morceau au casse-tête. Que s'était-il passé alors?

Que s'était-il passé *après*?

— À quelle heure es-tu rentré hier soir?

Le père d'Alex avait l'air fatigué. Il prit une gorgée de café.

— Tôt.

Alex n'avait pas vraiment envie de bavarder. Devait-il dire à son père que Donald avait téléphoné? Probablement. Mais il n'en avait tout simplement pas le courage.

— Ça devient sérieux entre cette Maude et toi?

Alex leva les yeux, surpris. Son père posait rarement des questions si personnelles.

— Non, pas vraiment.

Alex versa du lait sur ses céréales.

— Papa, je commence à retrouver la mémoire.

Il n'avait pas eu l'intention de lui parler de ça ce matin. Pourquoi donc avait-il commencé?

— Je me souviens de l'accident, de toute la soirée... En grande partie, en tout cas.

Le lieutenant Hardy posa doucement sa tasse de café.

— C'est bien, Alex. Tu devrais peut-être aller voir le docteur Séguin après l'école.

Docteur Séguin. Alex l'avait rencontrée trois fois par semaine durant près de huit mois après l'accident. Elle était gentille et savait écouter. Il l'avait presque oubliée.

— Oui, peut-être.

— Ce ne sera pas une période facile pour toi. Elle pourra certainement t'aider, continua le lieutenant Hardy. Dieu sait que moi, je ne peux pas faire grand-chose. Je ne suis qu'un pauvre policier.

— Ça me fait du bien de parler avec toi, papa.

Celui-ci parut mal à l'aise. Il se leva en se plaignant de son mal de dos.

— Je dois y aller. Fais attention à toi. Et va donc voir le docteur Séguin.

— Oui, d'accord. Au revoir.

Le lieutenant Hardy se dirigea vers la porte, puis s'arrêta.

— Les hommes du labo ont passé la voiture au peigne fin, dit-il en fronçant les sourcils. Ils n'ont pas trouvé d'empreintes, rien. Les pneus ont été coupés avec une sorte de couteau de chasse. Quant aux vitres, elles semblent avoir été fracassées à l'aide d'un maillet. Y a-t-il un de tes amis qui se promène avec un couteau de chasse et un maillet?

Alex sourit.

— J'ouvrirai l'oeil.

— Fais donc ça. As-tu reçu d'autres appels anonymes?

Alex se demanda s'il devait dire la vérité à son père au sujet de Donald. Non. Quelque chose l'en empêchait.

— Non. Aucun appel.

La semaine passa rapidement. C'était une semaine un peu plus courte puisqu'il n'y avait pas eu de cours le lundi. Alex se sentait plus détendu. Il avait rencontré le docteur Séguin. Elle lui avait vivement conseillé de tout raconter à son père au sujet de l'appel de Donald, mais il ne l'avait pas fait. Il continuait à espérer que son frère serait là d'une journée à l'autre. Mais aucune trace de Donald.

Alex téléphona à Maude à quelques reprises au

cours de la semaine. Chaque fois, elle lui parut préoccupée et pressée de raccrocher. Elle répondit par l'affirmative lorsqu'Alex lui demanda si elle était toujours suivie.

— Tu devrais peut-être appeler la police, lui avait suggéré Alex.

— À quoi cela servirait-il? avait-elle répliqué sur un ton furieux.

— Est-ce qu'on se verra pendant le week-end? avait-il demandé.

— Peut-être, avait-elle répondu d'une voix ennuyée.

Le vendredi soir, tout le monde se préparait à sortir, sauf Alex.

— Je m'en vais, lui annonça Simon, un sac sur l'épaule.

— Où? lui demanda Alex.

Mais Simon était déjà sorti.

— Il s'en va visiter un ami, tu sais, celui qui possède des chevaux?

Alex n'avait jamais entendu parler de ce garçon. Simon ne lui parlait pas beaucoup de ses amis. En fait, Simon ne lui parlait pas beaucoup, point.

— Où est ma casquette? marmonna le lieutenant Hardy. Pourquoi est-ce que je n'arrive jamais à la trouver?

— Tu devrais peut-être en avoir deux, proposa Alex.

— Un flic avec deux casquettes. Il y a de quoi faire jaser tout le poste de police, ricana son père.

Il la trouva finalement sur le canapé du salon, entre deux coussins. Il la posa sur sa tête et marcha vers la porte.

— Hé, papa...

— Oui?

— Il y a quelque chose que je ne t'ai pas dit, commença Alex doucement.

— Je me disais bien, aussi, que tu avais un regard étrange, fit remarquer le lieutenant Hardy en revenant sur ses pas.

— Donald a téléphoné il y a quelques jours.

Le lieutenant Hardy ne parut pas surpris.

— J'ai pensé qu'il le ferait. Qu'a-t-il dit?

— Je ne lui ai pas laissé beaucoup de temps, admit Alex, mal à l'aise. J'étais si nerveux que j'ai raccroché accidentellement.

— Et il n'a pas rappelé?

— Non.

— Qu'est-ce qu'il a dit? répéta son père, les yeux fixés sur ceux de son fils.

Il essayait d'en savoir plus long, en bon policier.

— Il a dit : «Fais attention. J'arrive.» dit Alex en haussant les épaules.

Son père réagit enfin.

— C'est ce que je redoutais, dit-il en secouant tristement la tête.

Il avait parlé si doucement qu'Alex avait eu du mal à l'entendre.

— Après tous ces mois passés à l'hôpital...

Alex se demanda s'il devait raconter à son père que Maude croyait être suivie par Donald. Il décida que non. Pourquoi entraîner Maude dans cette histoire?

— Écoute, Alex.

Le lieutenant Hardy réfléchissait.

— Je ne veux pas que tu restes seul ici ce soir.

— Pourquoi, papa? Tu ne crois tout de même pas que Donald veuille... me faire du mal... n'est-ce pas?

— Je ne sais pas. Honnêtement, je ne sais pas, répondit le lieutenant Hardy. Tu m'as dit que tu avais retrouvé la mémoire. Est-ce que tu te souviens de ce qui s'est passé après l'accident?

Alex dévisagea son père.

Après l'accident?

Non.

Rien.

— Papa, dis-moi la vérité, supplia-t-il enfin. Il le faut maintenant. Tu n'as plus le choix.

Le lieutenant Hardy demeura silencieux un long moment, fixant le sol, secouant la tête. Lorsqu'il leva les yeux, on aurait dit qu'il avait cent ans.

— Alex, ton frère a essayé de te tuer.

— Après l'accident, Donald a perdu la tête, continua le lieutenant Hardy sur le ton impassible d'un policier. Lorsque nous sommes arrivés sur les lieux, il t'avait traîné hors de la voiture. Il te secouait en hurlant comme un fou. Voilà pourquoi Donald a été hospitalisé. Il a fallu trois hommes pour lui faire lâcher prise. Trois hommes.

— Mais il ne savait plus ce qu'il faisait, n'est-ce pas? demanda Alex.

La question sembla surprendre son père.

— Ma foi, je crois que c'est ce que l'on pourrait dire. Il était fou furieux.

— Alors, il n'avait pas vraiment conscience de ce qu'il faisait. Il ne se rendait pas compte que c'était moi, n'est-ce pas?

— Il y avait tant de haine dans son regard, Alex. Tant de fureur. Il avait mis ses mains autour de ton cou.

Alex regarda fixement son père. Il n'y avait plus rien à ajouter.

Il savait tout maintenant. Il ne l'avait pas voulu, mais il savait tout.

— Je ne voulais pas que tu le saches, continua le lieutenant Hardy.

Ils se regardèrent durant un long moment.

— Je dois partir, dit enfin son père. J'aurais préféré ne pas te laisser seul ce soir, mais je n'ai pas le choix. Écoute, Alex. Verrouille toutes les portes dès que je serai parti. Je vais téléphoner au poste et demander qu'une voiture de police passe ici toutes les quinze minutes. La maison sera surveillée. Tu seras protégé si Donald...

— Tout ira bien, dit Alex dans un murmure.

— Si tu vois ou entends quoi que ce soit, appelle au poste tout de suite.

— D'accord, papa.

— Et ne sors pas, tu m'entends? Reste ici. Ton frère ne te veut peut-être aucun mal, mais nous n'en sommes pas certains. Alors ne bouge pas d'ici.

— D'accord, répondit Alex, ennuyé. Tout ira bien. Je regarderai la télévision.

— Parfait, dit le lieutenant Hardy.

Il se leva et sortit.

— Hé, verrouille les portes! cria-t-il de l'extérieur.

Alex se dirigea vers la porte et la verrouilla. Il fit de même avec la porte de la cuisine. Il savait que la soirée allait être longue et qu'il sursauterait au moindre bruit.

Mais il ne pouvait imaginer que son frère revenait pour le tuer.

Pas Donald.

Pas son frère.

Il verrouilla tout de même les fenêtres et baissa les stores.

Il constata soudain que son coeur battait à tout rompre. Oui, la soirée allait être longue.

Qu'est-ce que ce bruit? se demanda-t-il soudain.

Quelque chose grattait sur le toit.

Un écureuil?

Il retint son souffle et tendit l'oreille.

Silence.

Lorsque le téléphone sonna, il bondit.

Sa gorge se serra. Il se demanda s'il pourrait répondre.

Était-ce Donald? Ou encore la fille qui menaçait de lui casser les os?

Il décida de laisser sonner.

La sonnerie retentit plusieurs fois.

Alex n'y tint plus. Il décrocha.

— Alex, c'est moi, Maude.

— Oh, salut Maude. Je suis si heureux de...

— Alex, il faut que tu m'aides. J'ai si peur. C'est Donald. Je crois qu'il est ici, dans la maison. Aide-moi, Alex. Je t'en prie!

CHAPITRE 16

La voix de Maude résonnait encore dans la tête d'Alex quand il eut raccroché.

— Je ne peux pas rester ici, avait-elle dit dans un murmure terrifié, à bout de souffle. Je l'ai enfermé dans le sous-sol. Je dois partir d'ici. J'arrive dans quelques minutes.

Et elle avait raccroché avant qu'il n'ait pu prononcer un mot.

Avait-elle raccroché ou avait-on coupé la ligne?

Il posa le récepteur, mais ne bougea pas. Il avait d'abord été content quand Maude lui avait dit qu'elle venait le rejoindre. Il avait besoin de compagnie.

Mais Maude serait-elle plus en sécurité avec lui? Que pourraient-ils faire tous deux contre Donald si celui-ci était vraiment un cinglé qui voulait leur peau?

Fais attention. J'arrive.

Pourquoi Donald poursuivait-il Maude?

Quel lien y avait-il entre elle et lui?

Alex constata soudain, terrifié, que Maude n'avait aucun lien avec Donald. Aucun lien, à part lui-même.

Donald suivait Maude à cause de *lui*.

Alex avait tué la petite amie de Donald. Maintenant, celui-ci s'était enfui d'un hôpital psychiatrique dans l'intention de tuer la petite amie de son frère!

Il se dirigea vers le réfrigérateur, les jambes tremblantes, et prit une canette de cola. Il l'ouvrit et but une longue gorgée, essayant de se calmer. Mais comment pouvait-il se calmer quand toute cette histoire était sa faute?

Il se sentait également terriblement coupable d'avoir eu des soupçons à l'égard de Maude. Pauvre Maude. Elle était maintenant en danger à cause de lui, à cause de quelque chose qu'il avait fait plus d'un an avant de la rencontrer.

Il décida de la protéger.

Mais comment?

Alex fut tiré de ses pensées lorsqu'on frappa à la porte avec insistance. Il tourna la poignée de la porte, puis hésita. Et si ce n'était pas Maude?

— Qui est là?

— C'est moi, Maude. Où étais-tu? Je cogne à la porte depuis près d'une minute!

— Je suis désolé. Je...

Elle se jeta dans ses bras et enfouit son visage au creux de son épaule.

— Alex, je suis si heureuse. Merci, dit-elle.

Sa figure était brûlante. Il lui rendit son étreinte.

«Si seulement elle savait la vérité... Elle ne me remercierait pas», pensa Alex.

— Tout ira bien, dit-il d'un ton peu convaincant.

Elle se libéra soudain.

— Vite, dit-elle. Nous ne pouvons pas rester ici. Il viendra sûrement.

— Non, protesta Alex. Nous devons rester ici. Nous serons en sécurité.

— Il faut partir loin, dans un endroit qu'il ne connaît pas et où il ne pourra pas nous trouver, répliqua-t-elle sur un ton dur.

— J'ai promis à mon père, dit Alex. Il m'a ordonné de rester ici.

— Non, c'est impossible.

Elle était morte de peur, et tout ça par sa faute.

— Il y a un chalet, à une vingtaine de kilomètres d'ici, où nous pouvons nous réfugier. Il appartient à mon oncle, mais il n'est pas là pour l'instant. J'ai une clé. Alex, écoute-moi. Nous serons en sécurité là-bas. Il ne nous trouvera pas.

— Non, je ne peux pas... commença Alex.

Puis, il comprit que Maude avait raison. Il ne fallait pas rester dans cette maison que Donald connaissait si bien. De plus, il voulait protéger Maude.

— D'accord, dit-il. Tu as raison. Allons-y.

Elle se jeta dans ses bras de nouveau. Elle semblait si soulagée.

— Nous ne courrons aucun danger là-bas, murmura-t-elle à son oreille. Et nous serons ensemble...

Elle effleura la joue d'Alex de ses lèvres.

— Euh... je... je vais prévenir mon père, bégaya-t-il. Puis nous partirons.

— Fais vite. Je t'en prie, dit-elle avec une voix de petite fille.

— Mon père ne sera pas content, dit-il, mais il comprendra que c'est la meilleure solution.

Il décrocha et se mit à composer le numéro du poste de police.

— Hé! s'écria-t-il, surpris. Il n'y a pas de tonalité. Rien.

Son étonnement se transforma en peur.

— Oh mon Dieu! cria Maude. Il faut partir d'ici!

— Je reviens dans deux secondes, dit-il en laissant tomber le récepteur sur le plancher.

Il monta à sa chambre et enfouit quelques vêtements dans son sac à dos.

— Filons, dit-il en descendant l'escalier.

La nuit était plus froide qu'Alex ne l'avait cru. Il frissonna. Maude ouvrit le coffre de la Firebird.

— Mets ton sac là-dedans, dit-elle en regardant autour d'elle.

Elle frissonnait également.

Dans le coffre de la voiture se trouvaient une tente, des cannes à pêche, un sac de couchage et un long maillet de bois.

Alex sentit son estomac se nouer.

— Maude! cria-t-il.

Celle-ci s'apprêtait à s'asseoir derrière le volant.

— Quoi? Dépêche-toi!

— Maude. Ce maillet... À quoi te sert-il?

— Quoi?

Fronçant les sourcils, elle se dirigea vers l'arrière de la voiture.

— Qu'est-ce qu'il y a?

— À quoi te sert ce maillet?

— Ce n'est pas moi qui l'ai mis là. C'est à mon père. Il l'utilise pour planter les piquets de la tente. Allez, Alex. Qu'est-ce qui te prend? On n'a pas de temps à perdre!

De nouveau, Alex se sentit coupable. Pourquoi soupçonnait-il cette pauvre fille effrayée? Il monta dans la voiture. Maude démarra.

— À bien y penser, j'utiliserai peut-être le maillet, déclara-t-elle soudain, les yeux fixés sur la route. Nous pourrions dresser la tente dans le bois. Ce serait romantique.

— Et froid, ajouta Alex en tremblant.

— Je te tiendrai au chaud, murmura-t-elle, serrant la main d'Alex et lui jetant un regard aguichant.

Elle portait un grand sweat-shirt gris et des jeans. Alex constata que c'était la première fois qu'il la voyait habillée comme une fille de son âge. Il sourit à son tour. Maude était splendide. Et il allait passer la nuit seul avec elle.

Le chalet était en plein coeur de la forêt. Il était assez vaste et semblait plutôt confortable. Alex demanda à Maude où se trouvait le téléphone.

— Il faut que j'appelle mon père.

Maude lui désigna un vieux téléphone noir sur le comptoir de la cuisine. Alex décrocha. Silence.

— Il n'y a pas de tonalité, dit-il.

— Oh zut, dit-elle, l'air très ennuyée. Je suis désolée. Ils ont probablement interrompu le service. La famille de mon oncle vient rarement après la fin de l'été.

Alex frissonna.

— Il fait presque aussi froid à l'intérieur qu'à l'extérieur, dit-il sur un ton furieux. Est-ce qu'il y a un village près d'ici, où je pourrais aller téléphoner?

Elle haussa les épaules.

— Je ne sais pas.

Alex se mit à arpenter la pièce.

— Qu'est-ce que je vais faire maintenant?

— Tu vas allumer un feu pour que nous puissions nous réchauffer, répondit Maude doucement. Pendant ce temps, je nous prépare deux grosses tasses de chocolat chaud.

— D'accord, dit-il, réfléchissant toujours à un moyen d'appeler son père.

— Tu verras, ce sera bien, dit-elle sur un ton cajoleur. Nous resterons debout toute la nuit à bavarder...

Alex sourit. Il se dirigea vers le foyer et alluma un feu, comme Maude le lui avait suggéré.

Maude le rejoignit quelques minutes plus tard.

— Tiens, bois. Ça te réchauffera.

— Ça sent drôlement bon, fit remarquer Alex.

Il avait retrouvé sa bonne humeur. Après tout, il était avec Maude et... loin de Donald.

Il s'assit sur l'une des chaises qui entouraient la table de chêne à quelques mètres du foyer. Maude l'imita.

— Mmmmm... C'est délicieux, dit-elle.

Alex but une gorgée. Il se brûla la langue, mais ça ne l'ennuya pas. Il n'avait qu'une envie : se réchauffer.

— C'est bon, dit-il.

Ils échangèrent un regard. Alex se sentit tout à coup très intimidé. «Je n'arrive pas à le croire, se dit-il. Je vais passer la nuit avec cette fille!» Il prit une autre gorgée de chocolat chaud.

— C'est un joli feu, dit Maude en fixant les flammes orangées qui dansaient dans le foyer. C'est exactement comme je l'avais imaginé.

Alex but de nouveau. Il commençait à avoir plus chaud.

— Imaginé quoi? demanda-t-il doucement, comme hypnotisé par les flammes.

— Quoi?

— Tu as dit que c'était exactement comme tu l'avais imaginé.

— Ah oui?

Elle semblait embarrassée.

— Mais oui, tu l'as dit, insista Alex.

— Je ne sais pas vraiment ce que j'ai voulu dire. Le feu me rend toujours un peu rêveuse, dit-elle en prenant la main d'Alex.

Soudain, celui-ci sentit qu'il avait trop chaud. Il enleva son chandail et le lança sur le canapé.

Il prit une autre gorgée de la boisson chaude.

— Je t'avais bien dit que je te réchaufferais, dit Maude doucement.

— C'est délicieux.

— C'est une recette de famille.

— Tu ne m'as pas parlé beaucoup de ta famille, fit remarquer Alex.

— Tu n'as pas envie d'entendre parler de ça. Tu bâilles déjà, le taquina-t-elle.

— Non, j'aimerais vraiment que tu m'en parles.

Alex bâilla de nouveau.

— J'ai sommeil, dit-il. Je suis désolé. J'ai eu si froid et maintenant, j'ai si chaud.

Il avait la tête pesante et avait peine à garder les yeux ouverts.

— Tu as l'air tellement fatigué, pauvre chéri...

Maude se pencha sur la table et embrassa la main d'Alex.

— Pauvre, pauvre chéri.

Les yeux d'Alex se fermèrent. Il entendait la

voix de Maude, mais elle semblait venir de très loin.

— Pauvre chéri.

Alex se sentit tomber de sa chaise.

«Maude, attrape-moi, pensa-t-il. Attrape-moi.»

Lorsqu'il se réveilla, il vit que le feu était presque éteint. Son dos lui faisait mal. Il constata qu'il était toujours assis à la table devant le foyer.

Il avait mal à la tête.

Il essaya de se lever, mais il ne le pouvait pas.

Il s'aperçut que ses mains et ses chevilles étaient solidement attachées à la chaise.

— Pauvre chéri, dit Maude, debout de l'autre côté de la table.

Ses lèvres violettes formaient un large sourire sur son pâle visage. Ses yeux bleu pâle, généralement si ternes, brillaient d'excitation.

— Pauvre chéri, répéta-t-elle. Tu es réveillé.

CHAPITRE 17

«Réveille-toi, Alex. Réveille-toi! C'est un cauchemar!», se dit Alex.

— Tu ne rêves pas, dit Maude, lisant dans ses pensées.

Elle riait en le voyant faire des efforts pour se libérer.

— Ne bouge pas comme ça. Tu vas te couper les poignets.

— Maude, c'est assez! Qu'est-ce que tu fabriques?

— C'est exactement comme je l'avais imaginé, dit-elle en souriant. Je n'arrive pas à le croire!

— Moi non plus, figure-toi, dit Alex. Détache-moi. Ce n'est pas drôle.

— Mais bien sûr que c'est drôle, mon cher Alex! Et ça le sera encore plus tout à l'heure! Tout est parfait! Je ne veux pas commencer. Je voudrais seulement te regarder comme ça. Mais je dois commencer. Il le faut.

— Mais de quoi parles-tu? cria Alex, furieux. Et comment as-tu réussi à m'attacher?

— C'est simple. J'ai mis une petite poudre blanche dans ton chocolat chaud. Tu es très naïf, Alex.

— Naïf, moi? Maude, détache-moi.

— Je suis désolée, répondit-elle. Je dois finir ce que j'ai commencé. J'ai tellement travaillé pour en arriver là...

— Qu'est-ce que tu racontes? Détache-moi! Cette plaisanterie a assez duré. Je sais que tu aimes bien penser que tu es bizarre et tout mais...

— Bizarre?

Ses yeux lançaient des éclairs.

— Je ne suis pas bizarre. Ne dis plus jamais ça, Alex. Plus jamais!

— D'accord, dit-il. Tu n'es pas bizarre. Après tout, qu'y a-t-il de bizarre à endormir quelqu'un et à l'attacher à une chaise? C'est tout à fait normal.

— Ferme-la! hurla-t-elle. Tu veux que je t'explique? D'accord.

Elle se pinça le nez et commença à réciter, d'une voix perçante.

— L'orteil est relié au pied, qui est relié à la cheville...

— Non! cria Alex. C'était toi! Mais pourquoi, Maude?

Elle se mit à marcher de long en large.

— Maude, tout le reste, la peinture dans mon casier, les pneus crevés...

Elle rit et se retourna.

— Tu comprends vite, Alex. Mais pas assez vite...

Alex se mit à réfléchir. Que pouvait-il faire? Elle avait l'air prête à tout!

— Maude, commença-t-il doucement. Assieds-toi. Dis-moi pourquoi tu es en colère...

— Le temps est venu de commencer.

— Maude, je t'en prie...

Elle sortit de la pièce et revint quelques instants plus tard, un maillet à la main.

— Je dois tenir ma promesse, dit-elle, l'air absent.

— Tu es cinglée! Cinglée! hurla-t-il.

Il le regretta immédiatement.

— Je suis désolé, dit Alex, désespéré. Je ne le pensais pas... Je te le jure.

— Je dois tenir ma promesse.

— Mais de quoi diable parles-tu? demanda Alex. De quelle promesse?

— J'ai promis de casser tous les os de ton corps.

Elle leva le maillet.

— Un par un.

— Mais, Maude...

Alex s'aperçut qu'elle était tout à fait sérieuse.

— Pourquoi? Dis-moi au moins pourquoi?

Elle marcha vers lui.

— Alex, tu veux dire que tu ne le sais pas?

Il y eut un long silence.

— Marilou était ma soeur!

Le coeur d'Alex battait à tout rompre.

— La soeur de Marilou? C'est impossible! Je ne me souviens pas de...

— Tu ne te souviens pas de grand-chose, n'est-ce pas?

— Mais c'était un accident!

— À quel point ma famille a souffert à cause de cet accident! J'ai juré que je vengerais ma soeur. J'ai promis de briser un à un tous les os de ton corps. Comme tu l'as fait pour elle!

Elle laissa tomber le maillet sur le sol et s'agenouilla devant Alex. Il voulut lui donner un coup de pied, mais il était attaché trop solidement. Elle lui saisit la jambe gauche.

— Hé, qu'est-ce que tu fais?

Maude lui enleva son soulier et fit de même avec son pied droit. Elle lui retira ensuite ses chaussettes et les lança dans le foyer.

Elle se releva et reprit le maillet.

— Commençons avec les orteils, dit-elle calmement.

Elle leva le maillet.

— Non, supplia Alex. Je t'en prie. Non!

Elle poussa un long cri en laissant tomber le maillet de toutes ses forces sur le pied d'Alex.

Il hurla. La douleur partait de son orteil et envahissait tout le côté gauche de son corps.

Lorsqu'il rouvrit les yeux, elle s'élançait de nouveau.

— Pauvre chéri, dit-elle, impassible. Tu t'es fait mal aux orteils? Voyons ce que nous pouvons faire pour l'autre pied.

Alex était incapable de prononcer un mot ou de bouger. Il referma les yeux.

La douleur dans son pied gauche était insupportable. Et voilà qu'elle s'apprêtait à faire de même avec son pied droit.

— Qu'est-ce qu'il y a, Alex? demanda-t-elle d'un ton moqueur. Tu ne peux pas regarder? D'accord, d'accord. Je suis plutôt de bonne humeur aujourd'hui.

Elle se dirigea vers l'autre bout de la pièce et décrocha une tête d'orignal qui était fixée au mur. Elle secoua la tête de l'animal et retira la paille qui se trouvait à l'intérieur.

— Nonnnn! parvint à crier Alex. Maude, nonnnn!

Elle posa la tête d'orignal sur celle d'Alex. Une forte odeur de pourriture et de moisissure s'en dégageait. Alex suffoqua. Il tenta de retenir son souffle. Il secouait la tête d'un côté et de l'autre, mais la tête de l'animal était bien solide.

— Tu es adorable, dit Maude. J'aurais dû apporter mon appareil-photo.

Elle s'esclaffa. Alex entendit le bruit du maillet qu'elle ramassait sur le plancher. Elle s'apprêtait à lui briser le pied droit.

Alex ferma les yeux. Il fut pris d'une violente nausée.

— Attention, mon chéri, me voilà... dit Maude sur un ton joyeux.

CHAPITRE 18

Alex attendit la seconde explosion de douleur. Quelque chose avançait sur son front. «Ce n'est que de la sueur», se dit-il. Mais il savait bien que c'était un insecte. La tête d'orignal devait être infestée de bestioles. Il sentit qu'il allait s'évanouir.

Un grand bruit le fit sursauter. On aurait dit que la porte venait de s'ouvrir.

— Non, va-t'en! hurla Maude.

Puis, Alex entendit des pas sur le plancher, des bruits de corps donnant contre les meubles.

— Va-t'en! Va-t'en! criait Maude de plus belle.

Était-ce Donald? Donald les avait-il rejoints? Allait-il finir ce que Maude avait commencé? Il tenta une nouvelle fois de se libérer, mais sans succès.

Des chaises basculèrent. Le maillet tomba sur le sol.

— Laisse-moi tranquille! Va-t'en!

— Arrête, Hélène! Arrête! cria une voix masculine.

Était-ce la voix de Donald? Alex n'en était pas certain. Le front lui démangeait. Des centaines de petites pattes y marchaient.

— Laisse-moi finir! criait Maude.

— Je vais m'en occuper, insista la voix d'homme.

Oui... ça semblait bien être la voix de Donald.

Il y eut un bruit de vaisselle. Quelque chose alla se briser contre la fenêtre.

— Hélène, arrête! Je vais m'en occuper! Je ne veux pas te faire de mal!

Hélène?

Il avait dû mal entendre.

— Va-t'en! Va-t'en! Va-t'en!

Puis, Alex entendit un cri de douleur. Un corps tomba sur le sol.

Silence.

Des pas se dirigeaient vers lui.

Quelqu'un était debout devant lui.

Il attendit. Il avait envie de fondre en larmes, mais il attendit.

Quelqu'un était planté là et l'observait.

Quelqu'un retira la tête d'orignal. L'air était frais contre sa peau chaude et humide.

— Donald! cria Alex.

— C'est ton prochain déguisement pour l'Halloween? demanda Donald d'une voix calme.

Donald regardait son frère, le maillet à la main. Il laissa tomber la tête d'orignal et la poussa d'un coup de pied.

Voilà, se dit Alex. Donald a attendu ce moment de vengeance durant plus d'un an. Alex détourna le regard et vit Maude, face contre terre, près du foyer. Donald leva le maillet et le posa sur la table.

— Tu sembles avoir une vie passionnante, Alex, dit-il, le sourire aux lèvres.

— Donald, je... je suis désolé, laissa échapper

Alex.

— *Tu* es désolé? dit Donald d'une voix douce. C'est moi qui te dois des excuses, Alex. Je ne pensais jamais qu'elle irait aussi loin.

— Est-ce qu'elle est...

Alex regarda le corps inerte de Maude.

— Je l'ai seulement assommée, expliqua Donald. Elle s'en remettra.

Il s'agenouilla et détacha les pieds d'Alex.

— Mon pied... dit Alex.

La douleur était atroce.

— C'est sûrement cassé, dit Donald. Je suis désolé. J'ai essayé de l'empêcher... Mais chaque fois, elle réussissait à m'échapper.

Donald se mit à masser la jambe d'Alex afin de rétablir la circulation.

— Je ne comprends pas, dit Alex.

— Je voulais lui parler lorsqu'elle serait calme, poursuivit Donald en secouant la tête. Je voulais la raisonner. Mais je me suis trompé. Je suis désolé, Alex. Tout ça est ma faute. Je t'ai appelé, j'ai essayé de te mettre en garde, mais tu as raccroché.

— Je ne l'ai pas fait exprès, Donald. Pourquoi n'as-tu pas rappelé?

Donald fronça les sourcils.

— J'ai cru que peut-être, papa et toi, vous ne vouliez plus entendre parler de moi.

Il détacha les bras d'Alex et les frictionna avec vigueur.

— Mais Maude... commença Alex, s'efforçant de comprendre.

— Elle ne s'appelle pas Maude, dit Donald, surpris. Son nom est Hélène. Hélène Kelly.

— Comment peut-elle être la soeur de Marilou si son nom est Kelly? demanda Alex.

— Ce n'est pas la soeur de Marilou, dit Alex. Elle prétend qu'elle l'est, mais ce n'est pas vrai.

— Mais elle m'a dit...

Alex s'arrêta. Il ne savait plus quoi penser.

— Elle croit qu'elle est la soeur de Marilou, expliqua Donald doucement. Elle en est vraiment persuadée. Hélène est très malade. Je n'avais pas constaté à quel point, d'ailleurs. Je n'aurais pas dû...

— Pas dû quoi? insista Alex.

— Pas dû lui raconter toute l'histoire à propos de l'accident. Mais de quoi d'autre aurais-je pu parler dans cet hôpital?

— Tu veux dire qu'elle y était aussi?

— Oui. Elle y est depuis son enfance, pauvre petite. Elle possède plusieurs personnalités. Elle s'infiltre dans la vie des gens et adopte l'identité de certaines personnes. Je lui ai tout dit à propos de l'accident. Je lui ai même parlé de ce chalet qui appartient aux parents de Marilou. Elle se souvenait de tout ce que je lui disais. Peu à peu, elle est entrée dans l'histoire et a créé son propre personnage. J'ai été idiot. Je lui en ai beaucoup trop dit. Lorsqu'elle s'est enfuie de l'hôpital, je savais ce qu'elle avait l'intention de faire.

— Alors tu as décidé de partir à sa recherche? demanda Alex.

— J'espérais pouvoir lui parler, la calmer, répondit Donald en fixant le corps d'Hélène. Alors je me suis sauvé. Mais j'allais sortir quelques jours plus tard, de toute façon. Je savais qu'elle allait habiter chez une amie pas très loin de la ville. J'ai presque réussi à lui parler, ce soir. Mais elle m'a enfermé dans le sous-sol...

Tandis que Donald poursuivait ses explications, Alex vit Hélène se lever furtivement. Elle saisit le maillet et se précipita vers Donald.

Celui-ci l'avait-il vue? Non, il lui tournait le dos. Alex n'était pas certain que ses jambes engourdies pourraient le soutenir, mais il devait essayer. Dans un effort désespéré, il se leva et se lança sur Hélène. Le maillet tomba sur le sol. Donald se retourna, surpris.

— Il a tué ma soeur! Il a tué ma soeur! hurlait Hélène.

Alex la saisit par les épaules et tenta de l'empêcher de bouger. Elle lui donnait des coups de poing sur la poitrine, le frappant avec acharnement. Alex se contenta de la tenir jusqu'à ce qu'elle n'ait plus de forces. Elle poussa un petit cri et tomba sur le plancher.

— Pauvre petite, murmura Donald.

Alex marcha à cloche-pied jusqu'à la chaise.

— Tu m'as bien défendu, Alex. Tu devrais peut-être jouer comme arrière au football.

— Ne me parle pas de football, grogna Alex.

Ils entendirent le bruit des sirènes au loin. Quelques secondes plus tard, les policiers étaient devant le chalet.

— Voilà les secours, dit Donald.

— Tu veux dire... commença Alex.

— J'avais appelé papa avant de venir ici. Je lui ai dit où se trouvait le chalet. Ce sera une vraie réunion de famille!

Alex sourit. Il oublia même la douleur de son

pied durant quelques secondes.

Donald ramassa la tête d'orignal sur le plancher et la remit à Alex.

— Tiens, mets donc ça. Jouons un bon tour à papa...

Quelques jours plus tard, Alex sortait de l'école, se démenant pour avancer avec ses béquilles. Il entra en collision avec Vincent Fortin qui, lui aussi, se déplaçait à l'aide de béquilles.

— Tu voulais absolument faire comme moi, n'est-ce pas? le taquina Vincent.

— Hé! le boiteux! cria une voix.

C'était Julien. Il faisait de grands signes en direction d'Alex. Celui-ci rejoignit son ami aussi vite qu'il le put.

— Je me demandais si tu pouvais apporter mes livres, dit Julien.

— Très amusant, grommela Alex.

— Je suppose que ça te ferait plaisir de rentrer en voiture? proposa Julien.

— Bien sûr, répondit Alex.

— Hé bien, ne me regarde pas comme ça. Tu sais bien que je n'ai pas d'auto!

— Ce que tu peux être drôle aujourd'hui, Julien. Tu ne te fatigues donc jamais de cette plaisanterie?

— Mais non, puisque tu tombes dans le panneau à chaque fois!

Ils se mirent à rire.

— Écoute, Alex. Est-ce que tu pourrais me rendre un service?

— Pas question, dit Alex, le sourire aux lèvres.

— C'est que... ma cousine Sarah vient passer le

week-end. Elle n'a rien d'une déesse, mais elle est amusante et plutôt jolie. Je pense qu'elle te plairait. Je me demandais si tu voudrais...

— Je n'arrive pas à le croire! cria Alex en brandissant une béquille comme s'il allait frapper Julien. Tu me proposes un rendez-vous surprise! Sérieusement?

— Eh bien... tant pis, dit Julien en reculant. Je vois que l'idée ne te sourit guère... Désolé. Une autre fois, peut-être?

Il tourna les talons et s'éloigna.

— Hé, attends! Julien!

Alex se lança à sa poursuite.

— Pas si vite! Attends! On peut en parler... Tu as dit qu'elle était plutôt jolie?

Un mot sur l'auteur

R.L. Stine a écrit plus de quarante livres humoristiques et romans d'aventure pour les jeunes. Il a été rédacteur en chef de magazines humoristiques pour la maison d'édition *Scholastic*. Il travaille à New York où il habite avec son épouse Jane et leur fils Matthew.